JN103629

イラストで読む
キーワード哲学入門

永野 潤
NAGANO JUN

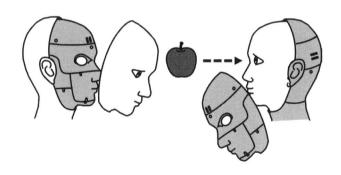

白澤社

まえがき

　本書は、2019年に出版した『イラストで読む　キーワード哲学入門』の改訂版です。哲学の入門書ですが、入門編と応用編に分かれています。

　入門編は、哲学の52のキーワードをタイトルにした52章からなる哲学入門です。すべての章に、内容と関連する自作のイラストを付しました。本書のイラストは、文章を補う単なる「挿絵」でも「図表」でもなく、それだけで「哲学」である、そんなイラストになっていることを目指して描きました。

　各章は、それぞれのキーワードの単なる解説ではなく、キーワードをテーマにした、いわば52章の哲学読み物となっています。わかりやすいだけではなく、結構本格的な哲学的議論をしているところもあります。記述には、テーマに関連するマンガ、アニメ、小説、映画などの話題も取り入れました。

　入門編の内容は、筆者が様々な大学で20年以上哲学の入門講義を行なってきた中で練り上げられたものです（哲学的マンガやアニメについては受講生の方々に教えてもらったものも多くあります）。

　入門編の後に、応用編として、筆者の専門であるサルトルという哲学者についての論文を収録しました。入門編より少し難しい内容ですが、入門編と関連する部分もありますので、合わ

せてお読みください。

　改訂版では、入門編の全体の構成はそのままに、一部の記述、イラストを書き直しました。取り上げたマンガ、アニメ、小説の数も増やしています。よりわかりやすいものになったと思います。また、新たに、本書に関連するコンテンツ（イラストをアニメーション化した動画ファイルなど）を公開するサイトを開設しましたので、ご参照ください。

　https://keywordtetsugaku.hateblo.jp/

　なお、本書の入門編は、筆者がかつて執筆した哲学入門『哲学のモンダイ』（白澤社、2011年）と一部重複する部分を含んでいます。また、題材とした作品のストーリーを紹介する際、いわゆる「ネタバレ」をしている部分もありますので、ご注意ください。

　　2023年1月15日

永野　潤

改訂版 イラストで読むキーワード哲学入門◎目次

※カバー・表紙・本文イラスト作成＝著者

〈入門編〉

イラストで読む
キーワード哲学入門

1　哲学

哲学 philosophy

「哲学」って「学」とついているから学問の一種だろうけど、一体どんな学問なのかわからない、という人も多いだろう。これが「生物学」だと「生物」の「学」だからそのまんまだし、なんとなく想像もつく。しかし「哲学」とは「哲」の「学」ではない。語源から説明するのも定番だ。「生物学」は英語でbiology だが、この語源は bios（ギリシア語で「生物」）＋ logos（ギリシア語で「論理」）で、だいたい直訳といっていい。ところが「哲学」は英語で philosophy だけど、この語源は、philein（ギリシア語で「愛する」）＋ sophia（ギリシア語で「知」）だ。つまり直訳すると、むしろ「愛知」になる。ところで、ミルフィーユというお菓子は、mille（フランス語で「千の」）＋ feuille（フランス語で「葉っぱ」）という意味で、直訳すると「千葉」だ。ちなみにフランス語の feuille の発音はカタカナで書くと「フイユ」に近い。そして、フランス語には「フィーユ」と発音する fille という別の単語があるのだが、こちらの意味は「娘」。つまり、ミルフィーユという発音だと「千人の娘」になってしまうんだ。

　ずいぶん脱線したが「哲学」という日本語の方は、明治時代

の官僚、西周が、フィロソフィアの訳語として作ったとされている。ただ最初彼は「希哲学」としていたそうだ。「希」は「希望する」「希（のぞ）む」という意味で「愛する」に対応し「哲」は「哲（さと）い」「かしこい」という意味で「知」に対応する。だから一応「希哲学」は直訳ではあったわけだね。その後「希」がとれて短い「哲学」となったものが普及して、今に至る。というわけで「哲学」のもともとの意味は「知を愛する」だ。別の言い方をすれば、知的好奇心、誰でももっている「知りたい」ということ。それが哲学というわけだ。

タウマゼイン thaumazein

　男が歩いている。彼は回転寿司の店に行こうとしているんだ。突然、UFO から宇宙人が降りてきて、彼の前に立ちはだかった。「え〜〜?!」彼は驚きの声を上げる。「一皿 90 円?!」なんと彼が驚いたのは回転寿司の店頭にある看板で、彼は宇宙人にはまったく驚いていない……という CM がかつてあった。普通、目の前に宇宙人が現れたら、私たちは「驚く」だろう。だが、目の前に地球人が現れたら？

　さて、これがいったい哲学とどう関係があるのだろうか？最初に、哲学とは「愛知」であり「知りたい」ということなのだ、と言った。そして、哲学が単なる「知りたい」と少し違っているのは、哲学が「知らないことを知りたい」ことではなく「知っていることを知りたい」である、という点だ。哲学は、もう知っていると思っていること「当たり前」と思っていることを「見知らぬもの」として扱う。プラトンやアリストテレスという古代ギリシアの哲学者が「驚き」（ギリシア語で「タウマゼイン thaumazein」）が哲学の根源にあると言っていた、などという話も、哲学入門ではよく紹介されるが、哲学は、見知らぬものに対して驚くのではなく、見慣れている（と思っている）ものに対して驚くんだ。宇宙人を見て驚くのは普通だが、地球人を見て驚くのが哲学である。

　ここで一つのエピソードを紹介しよう。ある時、ジャン＝ポール・サルトルという 20 世紀フランスの哲学者が友人とカ

フェで語り合っていた。すると、友人が目の前のカクテルグラス（中身は、あんずのカクテルだったそうだ）を指してこう言った。「君はこのカクテルについて語れるんだ、そしてそれは哲学なんだ」と。サルトルはそれを聞いて感動し、「現象学」という哲学の研究をはじめることになったらしい。ここで言いたかったことは、哲学は目の前のカクテルグラスといった身近な場所からはじまるのだっていうことだ。「哲学」というと、どうしても「難解」「高尚」「深淵」といったイメージを持つ人が多く「神」や「宇宙」や「人生の意味」について考えるのが哲学だ、と思っている人もいる。もちろん、そうしたものについて哲学が考えないわけではないが、哲学とは本来、もっと身近なものなんだ。誰もが持っている「知りたい」ということ、それが哲学の出発点なのである。

エポケー epokhe

　藤子・F・不二雄の『気楽に殺ろうよ』というマンガの主人公は、ある日「見なれたもの」が「見知らぬもの」に見えてくる体験をする。彼は「いつもと変わらない」ある朝、突然自分が見知らぬ世界にやってきたような感覚におそわれる。「どこがへんだとはいえないけど……勝手しった自分の家が　まるで見知らぬ世界みたいな感じ……」主人公は、まわりの世界がおかしくなったと感じるのだが、まわりの人々は、主人公の方がおかしくなったのだ、と言う。彼は病院につれてこられ「治療」をされる。そこで、彼を担当する精神科医は、このように言う。「いっさいの常識とか固定観念なんかをすてて……　そうだ！！　われわれは火星人になりましょう！」と。さっきも言ったけど、地球人にとって火星人は「見知らぬもの」だが、逆に火星人にとって地球人は「見知らぬもの」だ。とはいえ、実際には、私たちは火星人ではない。精神科医は、火星人になった「つもりで」地球を観察し、考察しよう、と提案するんだ。

　哲学は、こんなふうに、常識にとらわれた「あたりまえ」なものの見方（視点）を意識的にいったん保留して、そこから考察をはじめることがある。こうした日常的なものの見方のさしひかえのことを「エポケー epokhe」という。判断中止・停止を意味するギリシア語だ。「考える」ために、現実とは違った想定をすることを「思考実験 thought experiment」と言うこと

もある。この言葉は、19世紀〜20世紀のオーストリアの哲学
者・物理学者エルンスト・マッハが最初に使ったという。哲学
書の中には、さまざまな思考実験が登場する。この本でもその
いくつかを紹介することになる。

日常性 everyday life

　「見なれたもの」が「見知らぬもの」に見えてくる体験を描いたマンガは他にもある。

　内田春菊のマンガ『幻想の普通少女』の主人公の女子高生紗由理は、屋上でカラスを見て「からすからすからすからすからす……」とつぶやいてから、こう考える。

　「あれ？　からすって、からす、でいいんだっけ。らかすとか、すらかとか、かすらとかじゃ、なかったっけ」。

　少女はさらにこう考える。

　「そういえば、らっていうひらがなは、あやしいよな。いっぱいかいてくと、どんどん不安になってくんだもん。うわーっ、らってほんとにこんな字だったっけ」。

　似た体験をしてもらおう。右の「ぷ。」という文字、「ボーリングをしている人」と言われたら、そう見えてこないかな？

　岡崎京子のマンガ『Pink』には、こんなシーンがある。主人公ユミの彼氏ハルヲ君は、ユミがアパートで飼っているワニをじっと見てこうつぶやく。「動物ってへんだな、へんなかたちしてるし、何かんがえてんだろ」。そして彼は、ふとこんなことに気づくのである。「考えたら人間もへんなかたち、してるよな」。彼は自分の手をじっと見る。そしてこう言う「げ〜〜！　じ〜〜と手をみてたらきもち悪くなってきた、へんなかたちい！」

　哲学は、見慣れた日常的な世界を奇妙で非日常的なものとし

16

てとらえるところにはじまるのだが、それが「思考実験」とし
てではなく、もっと生々しい「体験」として現れることもある
んだ。哲学者サルトルが書いた『嘔吐』という小説のテーマ
も、そこにある。主人公アントワーヌ・ロカンタンは、ある
時、公園のベンチに座って目の前に立っている一本のマロニエ
の木の根を見たとき、激しい「吐き気」を感じた。私たちは、
日常生活の中で「公園」とか「ベンチ」とか「マロニエの木」
とか、さまざまな「意味」をもったものにかこまれて生活して
いる。ところが、ロカンタンは、目の前にあるものが何である
か、ということ以前に、とにかくここに何か「ある」というこ
と、ものの「存在」そのものに対する吐き気だということを
理解する。

アキレスと亀 Achilles and the tortoise

　おおひなたごうのマンガにこんなのがある。「こんな難しい問題絶対に解けないよ……」と泣き言をいうヒサシくんを、とんち先生がこう言ってはげます。

　「あきらめないで！　世の中には『絶対』なんて無いのよ！」

　この後の二人の会話はこうだ。

　ヒサシくん「え…ないの？」

　とんち先生「ないの！」

　ヒサシくん「絶対？」

　とんち先生「絶対に！」

　どうだろうか。「絶対的なものはない」と主張すると、その主張そのものも絶対ではないことになり、つまり絶対的なものはないとはいえないことになってしまう。これは「相対主義のパラドックス」と呼ばれている。論理的に正しく筋道立てて考えているのに、矛盾した、あるいは不合理な結論が出てしまう場合、それを「パラドックス paradox」と呼ぶが、哲学の問題はしばしばパラドックスに関係している。哲学の「知りたい」は、こんなふうにしばしば迷路に迷い込んでしまう。

　古代ギリシアの哲学者ゼノンが考えた「アキレスと亀」というパラドックスも有名である。英雄アキレスが走っていると、その前を亀がのろのろ歩いている。アキレスは亀をすぐ追い越すだろう。そんなの当たり前じゃないか、と思うかもしれないが、ゼノンは、アキレスが亀を決して追い越すことはできな

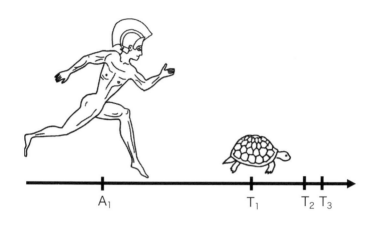

い、と言った。なぜだろうか。アキレスが亀を追い越すためには、まず、亀がいる地点T_1に行かなければならない。しかし、アキレスがT_1に到達する間に、亀は、ゆっくりとはいえ歩いているので、T_1より少しだけ先のT_2地点にいるはずである。そこで、アキレスは、次にT_2地点まで行くが、アキレスがT_2地点に到達する間に、亀はやはりT_2より少しだけ先のT_3地点にいるはずである。そこで、アキレスは、次にT_3地点まで行くが……。これはいつまでも続くので、結局、いつまでたってもアキレスは亀に追いつけない、というわけだ。

嘘つきのパラドックス liar paradox

「貼り紙禁止」

　こんな貼り紙が壁にはってあったらどうだろうか。よくある
めずらしくもない貼り紙と思うかもしれないが、ここにもパラ
ドックスがひそんでいる。この「貼り紙禁止」という貼り紙
も、貼り紙だ。だとすると、この「『貼り紙禁止』という貼り
紙」は、貼ってもいいのだろうか？　ところで、1960年代終
わりのフランスでは、ベトナム戦争反対や、大学の管理強化に
反対する学生運動が非常に盛り上がった。この時期のパリで
は、街じゅうに貼り紙や落書きがあふれていた。その中のひと
つに「禁止することを禁止する」というのがあったそうだ。禁
止することが禁止されるならば「禁止することを禁止する」と
いうこの禁止も禁止されなければならない。しかし、だとする
と「禁止することを禁止することを禁止すること」も禁止され
なければならなくなって……。頭がくらくらしてこないか？
　「禁止することを禁止する」という文は、その文自身について
あてはめられることによって、パラドックスとなる。ある文が、
その文自身について語っているような文を、自己言及文という
が、自己言及文は、ある場合にはパラドックスを引き起こす。
　「自己言及のパラドックス」は、古くから「嘘つきのパラ
ドックス liar paradox」として知られていた。たとえば、Aさ
んが「私は今うそをついている」と言ったとする。さて、Aさ

んが言っていることは本当なのか、それともウソなのか？　もしAさんが本当のことを言っているならば「私は今ウソをついている」という発言は本当になり、Aさんはウソをついていることになる。逆に、もしAさんがウソをついているとするなら「私は今ウソをついている」という発言はウソなのだから、つまりAさんは本当のことを言っていることになる。このパラドックスをもっと単純にしたものが、これだ。「この文はウソである」。もしこの文がウソであるとするなら「この文はウソである」というこの文はウソではないことになる。逆に、もしこの文がウソではないとするなら「この文はウソである」というこの文はウソであることになる。

2　認識

素朴実在論 naïve realism

　猫のための動画、というのがある。たいてい、小鳥などの小動物が動いているところが映っていたりする。これを猫に見せたら、多くの猫は非常に興味をしめす。モニター画面に小鳥が映ると、猫は画面に近づいていき、前脚を伸ばして、画面に触ったりする。私たちの目からすると、猫の目の前にはただモニター画面があるだけなのだが、猫は、目の前に小鳥がいる、と思っているのだろう。

　次に、私が目の前のリンゴを見ている、という場面を考えてみよう。哲学では、「私はリンゴを見ている」の「私」を「主観 subject」と呼び、「リンゴ」を、「対象 object」と呼ぶ（文法では、「subject」を「主語」と訳し、「object」は「目的語」と訳す。SOV の S と O）。さて、あなたは手をのばしてリンゴをつかむ。あなたは、それが、モニター画面に映った像ではなく、「実物の」リンゴであると思っている。これはあなたにとって「当たり前」の「常識」だろう。哲学では、この常識を「素朴実在論 naive realism」と呼ぶ。

　しかし、哲学者たちはこの常識を疑ってきた。「ここにリンゴが見えている。だからここにリンゴがある。これをどう疑う

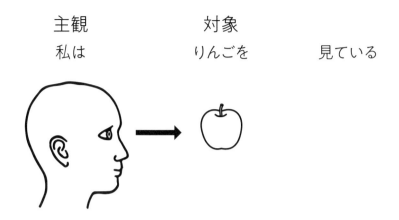

主観　　　　　　　対象

私は　　　　　りんごを　　　　　　見ている

んだ？」と思うかもしれない。では、ちょっと実験である。リンゴを見ている状態で、指で眼球を（まぶたの上から）少し押してみてほしい。リンゴが二重に見えてこないだろうか？　つまり、今あなたにはリンゴが2つ見えている。だからといって「ここにリンゴが2つある」とは言えないだろう。または、水を入れたコップにストローをさしてみてほしい。ストローは曲がって見える。だからといって「ストローは曲がっている」とは言えないだろう。こうした理屈を「錯覚論法 argument from illusion」と言う。こうした論法にしたがうと、私に見られているもの、つまり私の知覚の対象は「実物の」リンゴそのものではなく、リンゴの「イメージ」「像」でしかない、っていうことになる。

知覚の因果説 causal theory of perception

　私は「実物」のリンゴそのものを見ているのではなく、心の中に浮かんだリンゴの「イメージ」「像」を見ているのではないか？　心の中に作られる「像」のことは、哲学では「観念idea」（または「表象 representation」「感覚与件 sense data」）と呼ばれてきた。では、このリンゴの観念はどうやって生まれたのか？　それは、実物のリンゴそのものを原因として、心の中に作られたのだ、と考えるのが自然である。実はこの考え方は、常識でもある。まず、目の前に「リンゴ」という「物」がある。そして、そのリンゴを私が「見る」と、私の「心」の中に「リンゴの像」が浮かぶ、というわけだ。リンゴの観念とは「実物の」リンゴの「写し」だ、っていうことになる。こうした考え方を「知覚の因果説 causal theory of perception」と呼ぶ。これを図に書くと、図1のようになる。

　ここで、こんな場面を考えてみてほしい。私は部屋の中にいる。部屋の外にはビデオカメラがあり、カメラがとらえた映像が部屋の中のモニター画面に映っている（図2）。今、そのモニターにリンゴの映像が映っている。それをもとに、私は「部屋の外にリンゴがある」と判断する。しかし、私が直接リンゴを見ている、という状態もこれと同じではないだろうか？「リンゴそのもの」ではなく、部屋の中のリンゴの「映像」を見ているように、私は、リンゴから、つまり外から、心の中に入ってきた情報を間接的にとらえている。

図1

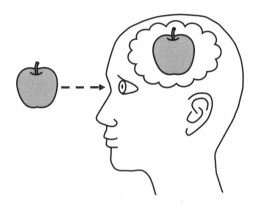

図2

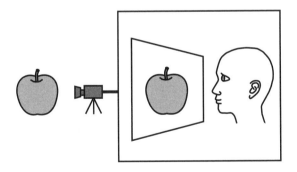

第二性質 secondary quality

　目の前に、リンゴが見える。このリンゴは赤い。でも、リンゴの「ほんとうの」色って何色なのだ？　太陽光と蛍光灯では違った色に見えるし、暗闇では真っ黒だ。というか、そもそも「赤」って、どこにある？　あなたは、リンゴを指さして、赤い色はここにある、と言うかもしれないが、本当にそうだろうか？　17世紀イギリスのジョン・ロックという哲学者は「色」などの性質は、物そのものがもっている性質ではなく、感覚が私の心の中に作り出す性質なのだ、と考えた。ロックは、大きさや形などは、物そのものがもっている性質と考え、それを「第一性質 primary quality」と呼んだが、一方、色やにおいや味などは、心の中にしかない、物そのものがもっていない性質と考え、それを「第二性質 secondary quality」と呼んだ。

　私たち人間は、約620〜750ナノメートルの波長の光を目でとらえると「赤色」を感じる、とされる。しかし、だとすると、赤いリンゴが持っている性質とは、この波長の光を反射する、という性質のみであって「赤色」という性質をリンゴが持っている、というのは違うんじゃないか？　動物の色の感覚は、人間とは違う。人間の目の網膜には錐状体という色を感じる細胞が三種類あり、それぞれ、青、緑、オレンジに反応する。しかし、例えば犬の網膜には錐状体がほとんどなく、数少ない錐状体は青と黄色にしか反応しないという。だから、犬は赤や緑を上手く識別することができない。逆に、人間がとらえ

るこのできない波長の光をとらえる動物も多い。多くの昆虫は、紫外線（400ナノメートル以下の波長の光）をとらえる。しかし、昆虫が紫外線の「色」をどのように見ているのかは、我々人間には決してわからないんだ。

　ところで、何十万年か何百万年後に、地球上すべての生物が絶滅したとする。そのときも、夕方、地表には650ナノメートルの波長の光が飛んできているかもしれない。でも、色を感じる生物がいない地球で、そのとき「空が赤い」と、はたして言えるのだろうか？

無限後退 infinite regress

　実物のリンゴが原因となって心の「中」にリンゴの像が作られる、という知覚の因果説は、当たり前の考え方ではあるが、実は、証明できない仮説でしかない、と言ったらどうだろう。あなたは図1を持ってきてこう言うかもしれない。「そんなことはない。ほら、ここにリンゴがある。そして、このリンゴが原因となって心の中にリンゴの観念が生まれるのだ」と。

　カメラと部屋のたとえで考えてみよう。部屋（心）の中の私は、リンゴそのものは見ていない。私が見ているのは画面に映ったリンゴの映像だけだ。画面のリンゴが、リンゴそのものをちゃんと映しているかどうかを確かめるためには、部屋（心）の外に出て、リンゴそのもの（A）と、心の中のリンゴの観念（A'）を見て比べればいいって？　でもその時私はBを「見ている」ことになるけど（図2）、ならば私の心の中には今度はBの観念（B'）が生まれているはずで、だったらその観念が風景そのものをちゃんと映しているかどうか確かめるために私はもう一回部屋（心）の外に出て……これではきりがない。ちなみに、説明がどこまでもさかのぼっていって終わらないことを「無限後退 infinite regress」とか無限遡行と言う。というわけで、知覚の因果説は、リンゴそのものと、リンゴの観念がどう関係するか、という哲学の大問題を生み出してしまう。

図1

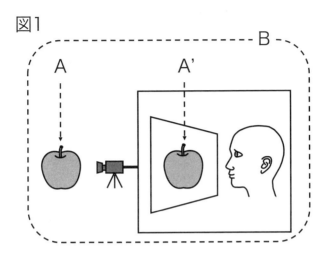

図2

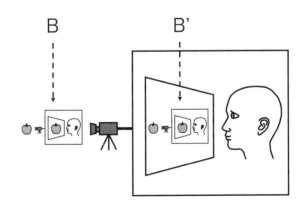

洞窟の比喩 allegory of the cave

　古代ギリシアの哲学者プラトンは「洞窟の比喩 allegory of the cave」と呼ばれる一種の思考実験を行なっている。こういう話だ。地下にある洞窟に囚人たちが住んでいる。囚人たちはこの洞窟のなかで、生まれたときからずっと手足と頭を縛られて、動けないし、前しか見えない状態になっている。囚人たちの背後では火が燃えていて、その光が、彼らの背後で動き回る人形やいろいろなものの影を洞窟の壁に映している。囚人たちは、洞窟の壁に映っている影しか一生見ることができない。とすると、囚人たちは「影」を「ほんもの」だと思ってしまうはずではないか。そして、プラトンは、私たちもこの洞窟の囚人と同じだ、と言う。

　洞窟の比喩は、知覚のカメラモデルの話と似ている。囚人が一生出られない洞窟とは、私たちが一生出られない部屋としての「心の中」であり、洞窟の壁に映った影とは、心の中のモニターに映った観念だ、と考えると、私たちは、心という洞窟、別の言い方をすれば、一人称の世界に閉じ込められた囚人だ、っていうことになる。

　私たちは、モニターの画面に映った小鳥の映像を触ろうとする猫を「バカだなあ」と笑ったりするかもしれない。でも、人間だって壁に映ったリンゴの影をほんもののリンゴと思い込んでいる愚かな存在ではないか？　自分たちが本物だと思っている世界は実は「にせもの」（影）の世界（プラトンはそれを感

覚界と呼ぶ）で、その背後に、実は私たちが直接とらえること
のできない「ほんもの」の世界（プラトンはそれをイデア界と
呼ぶ）があるんだ、という考え方を、イデア説と言う（19世
紀ドイツの哲学者フリードリッヒ・ニーチェは、こうした考え
方を「背後世界論」と呼んで批判した）。最初に、哲学とは常
識の視点を離れることだと言ったけど、プラトンにとって哲学
は、身近な世界をにせものの世界として否定し、もっと価値の
高いほんとうの世界を思考することだった（「高尚」「深淵」と
いう哲学のイメージはこうしたところから来ているだろう）。
そうした意味での哲学を「形而上学 metaphysics」と言う。

3 意識

夢の懐疑 dream argument

「あたりまえ」とされ、正しいときめつけられていることも、哲学は疑ってみる。「疑う」っていうことは「哲学する」ことの重要な要素だ。17世紀フランスの哲学者ルネ・デカルトは、哲学、もっと言えば学問の基礎をうちたてるために、絶対に確実な真理を探そうとした。そのために、少しでも疑えるものは真理の候補から外していった。これを「方法的懐疑 methodological skepticism」という。

まず真理の候補から外れたのは私たちの「感覚」だ。私は見間違いや聞き間違いをする。「感覚」というのはまったく当てにならない。また、私たちは、夢を見ているのに現実だと思ってしまうことが時々ある。っていうことは、今目の前にリンゴがあると思っているけど、実は私はリンゴの夢を見ているだけで、目の前にはリンゴなんてなくて、ベッドの中で寝ているという可能性だってあることになる。

ほとんどの人は毎日8時間眠り、16時間起きている。眠りの中で20パーセントは浅い眠り、レム睡眠で、このとき人は夢を見ているとされる。8時間の20パーセントは1.6時間。つまり、私たちは約10パーセントという高い確率でいま夢を見て

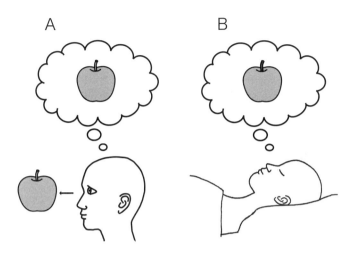

いるかもしれないんだ。図を見てほしい。私たちは図のような、三人称の視点をとって、フキダシ（心）の外の状態を確認して、A（現実）なのかB（夢）なのか確かめることはできない、というわけだ。

　だけど、夢の中でも1＋1は2じゃないか？　数学の正しさは絶対正しいようにも思える。しかし、私たちは計算間違いをする。さらにデカルトは、邪悪な悪霊が人間をだまして、1＋1は本当は3なんだけど、1＋1を計算するたびに2だと思わせているかもしれないじゃないか、とまで疑う。デカルトは途方にくれてしまった。

水槽の脳 brain in a vat

　デカルトの夢の懐疑の現代版とも言えるのが、20世紀アメリカの哲学者ヒラリー・パトナムによる「水槽の脳 brain in a vat」と呼ばれる思考実験だ。あなたの脳は、邪悪な悪霊ではなくて、邪悪な科学者によって、知らない間に体からとりはずされ、培養液のはいった水槽に入れられている。脳はコンピュータに接続され、リンゴの幻覚を見させられている。あなたが現実に存在すると思っている世界は、水槽の中の脳が見ている幻覚ではないだろうか？

　ウォシャウスキー姉妹監督の映画『マトリックス』のストーリーは、この「水槽の脳」や「洞窟の比喩」の映像化ともいえる。ある日、主人公のネオは、謎の男モーフィアスに「真実」を教えられる。それによると、実は21世紀になって人類の文明は人工知能に滅ぼされてしまっており、人間は、生まれたときから培養液の入ったカプセルの中にとじこめて眠らされ、脳に電極を挿されて、一生夢を見させられている、というんだ。自分が映像を見ていることが信じられず、周囲の世界や自分の姿を見て「これが現実じゃない？」と言うネオに、モーフィアスはこう言う。「何が現実だ？　現実をどう定義する？　もし君がいっているのが、感じるとかにおいがするとか味がするとか見えるとかなら、現実とは脳が解釈するただの電気信号だ。」映画では、主人公はこの「夢」から目覚め、カプセルの中に横たわって脳に電極をつながれていた自分を発見する。

　ネオをカプセルから助け出したとき、モーフィアスはネオに
こう言う。「ようこそ！　現実の世界に」印象的なシーンだ。
しかしよく考えてみよう。このときネオは、このモーフィアス
の言葉も疑うことができるはずだよね？　「これもまた夢なの
ではないか？　『カプセルの中で目が覚めた、という夢』なの
ではないか？　ほんとうのほんとうは、やっぱり私はサラリー
マンで、ベッドで寝ているのでは？」と。夢はさめれば、夢
だったことがわかる。しかし、あなたは「夢からさめたという
夢」を見ているかもしれないんだ。こうなると、きりがない。
哲学的に考えると、この恐ろしい夢の懐疑は、けっして終わる
ことがないように思えてくる。

五分前創造仮説 five minute hypothesis

　谷川流の『涼宮ハルヒの憂鬱』という小説にこんなシーンがある。主人公「きょん」に、友人古泉が突然こんなことをいいはじめる。

　「我々は一つの可能性として、世界が三年前から始まったという仮説を捨てきれないのですよ」

　きょんは古泉に反論する。

　「そんなわけがないだろ。俺は三年前より以前の記憶だってちゃんとあるし、親だって健在だ。ガキの頃にドブに落ちて三針縫った傷跡だってちゃんと残ってる。日本史で必死こいて覚えている歴史はどうなるんだよ」

　それに対して、古泉はこう言う。

　「もし、あなたを含める全人類が、それまでの記憶を持ったまま、ある日突然世界に生まれてきたのではないっていうことを、どうやって否定するんですか？　三年前にこだわることもない。いまからたった五分前に全世界があるべき姿をあらかじめ用意されて世界が生まれ、そしてすべてがそこから始まったのではない、と否定出来る論拠などこの世のどこにもありません」

　これは20世紀イギリスの哲学者バートランド・ラッセルの「世界五分前創造仮説 five minute hypothesis」という思考実験が元ネタである。ラッセルはこう言う。記憶されているできごとが実際には起こっていなくても、その記憶が生まれることはあ

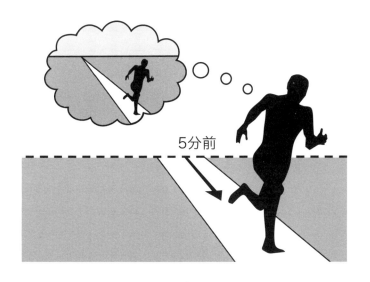

5分前

る（洗濯機のボタン押した記憶があるんだけど、押してなかった！　あれ？　とか）のだから、過去の出来事が一切存在していなくても、その記憶が生まれることだって論理的にはありうることになる。だから、世界が突然5分前に、5分前にそうあったとおりの状態で存在し始めた、という仮説を立てることは、論理的には可能である、と。

我思うゆえに我あり I think therefore I am

　懐疑をおしすすめると、恐ろしいことになった。目の前に見えているリンゴだけではなく、現実世界全体、5分以上前の過去までもが、ほんとうは存在しないかもしれないではないか。あなたはこう考えるかもしれない。

　「リンゴもない、世界もない、過去も存在しないかもしれない。……え？　ていうか、そう考えている私も存在しないかもしれない!?」

　……ちょっとまってくれ。いまあなたは「私も存在しないかもしれない」と考えているのではないかな？　そう考えているのはいったいだれなんだ？　そう、あらゆるものを疑ったとしても、そのように疑っている私、そのように考えている私がいま存在している、っていうことだけは疑うことができないのではないか……と考えたデカルトは「私が存在する」っていうことを哲学の絶対に確実な基礎とした。

　デカルトの「我れ思う、ゆえに我れあり」や、同じ意味のラテン語「コギト・エルゴ・スム cogito ergo sum」という言葉は、有名なので、聞いたことがある人もいるだろう。デカルトが証明したのは、考えるもの、つまり心（精神）としての「私」の存在だ。その後、デカルトは神の存在を証明する。不完全な人間が完全なものである神の観念を持っている。完全なものの観念は、実際に完全なものである神が作ったとしか考えられない（ちょっとこの証明は納得がいかないかもしれないが、それ

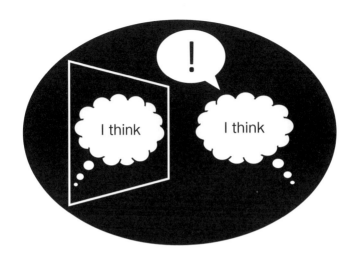

はおこう)。次にデカルトは、誠実な神が私をあざむくことは
ありえないのだから、私の外に物の世界が存在することも確実
だ、と考える。心(精神)としての私があって、その外に物
(物質)の世界がある。これは二元論になる。「心」を、閉ざさ
れた監視ルームとしてとらえるカメラ・モデルの図式とは、部
屋の中と外、つまり「心」と「物」という、まったくあいいれ
ない二つの世界を想定する、二元論の図式なんだ。

現象学 phenomenology

　ここで、もういちど、閉ざされた監視ルームのたとえにもどってみよう。私たちは、25ページの図のような三人称の視点に立って、部屋のような閉じた「心」と、その外の「対象」、という図式をとってしまう。デカルトなどの哲学者と、常識の中にもあるこの図式そのものに問題がある、とはいえないだろうか。こうした図式そのものを批判し「リンゴを見ている」ときは、目の前のここにある「このリンゴ」を見ているのだ、という基本的な場面、つまり、一人称の風景に立ち返ろうとしたのが、19世紀オーストリアの哲学者エトムント・フッサールにはじまる「現象学 phenomenology」という哲学の立場だ。たとえば、一人称の風景を表した右の図では、リンゴの裏面は見えないし、テーブルや床のタイルは見る距離や角度によって、台形やひし形など様々な現れ方をする（現象学ではそのことを「射影」と言う）。しかし、現象学では、錯覚論法のように、私の知覚の対象は「実物の」テーブルそのものではなく（台形に見える）テーブルの「イメージ」や「像」でしかない、とは考えない。現象学は、私たちが、様々な現れを通じて、同じ一つのテーブル、テーブルそのものを見ている、と考える。

　私の目の前にあるリンゴを見るとは、リンゴそのものに関わっていくことである。意識とは、閉ざされた監視ルームではなく、いわば、対象に向かって直接関係している「矢印」そのものなんだ。現象学では、対象に向かって関係するという意識

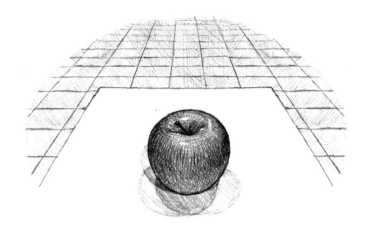

　の性質のことを「志向性 intentionality」と呼ぶ。

　現象学の影響を受けた20世紀ドイツの哲学者マルティン・ハイデガーは、あらゆる存在者の中で人間だけが、自分の存在そのものを問題にしつつ存在している、と考える。そしてハイデガーは人間の存在の仕方を「世界 - 内 - 存在 being-in-the-world」と呼ぶが、それは、世界へと関わりつつ世界「の内に」ある、ということである。ただし、この「〜の内に」ということは、たとえば箱「の中に」リンゴがある、というようなこととは違う、とハイデガーは強調する。世界内存在とは、閉じた箱や部屋のあり方ではなく、世界に向かって開かれていることそのものなのだ。

4 身体

心身二元論 mind–body dualism

　荒川弘のマンガ『鋼の錬金術師』に登場する「錬金術」は、物質を自由に変形したり別の物質に作り変えたりできる架空の技術である。作品の中ではこの術は「科学」とされているのだが、錬金術師エドが、ロゼという少女の「非科学的な」考え方を揶揄するシーンがある。「水35ℓ　炭素20kg　アンモニア４ℓ　石灰1.5kg　リン800ｇ　塩分250ｇ　硝石100ｇ　イオウ80ｇ　フッ素7.5ｇ　鉄５ｇ　ケイ素３ｇ　その他少量の15の元素」という人体の構成成分を列挙して、エドはこう言う。「ちなみにこの成分材料な、市場に行けば子供の小遣いでも全部買えちまうぞ。人間てのはお安くできてんのな」これを聞いたロゼは怒って「人は物じゃありません！」と反論するのだが、しかし、実際に、人間の体が炭素や酸素や水素といった、ありふれた物質の集合体であることは事実だ。エドの「科学的」考え方は、デカルトの考え方でもある。デカルトにとっては「身体」は「物」でしかない。物は、ひろがりを持っていて、分割できる。

　前衛芸術家・作家の赤瀬川原平は、『自分の謎』という本の中で、こんなふうに考える。私たちは、爪や髪の毛を切って、へいきで捨てる。爪や髪の毛は切っても痛くない。一方、手を

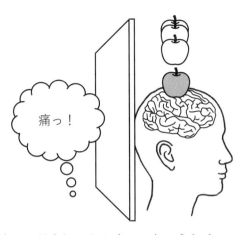

切ったら痛い。足を切ったら痛い。というわけで、爪や髪の毛は痛くないから「自分」ではなく「ただの物」だし、手は痛いから「自分」なのだ、と。なるほど。しかし、手も、もし切り離してしまったらどうだろうか。切り離された手そのものは、もう痛くないし、やっぱり「ただの物」になるんじゃないだろうか？　そこで赤瀬川はこんな思考実験をしてみる。「実験はできないけれど、自分の体を痛いのと痛くないのに分けていったら、痛いと感じる最後はどこになるのだろうか」。デカルトであれば、最後に残るのは、つまり「自分」とは「痛い」と感じる心（精神）だけ、っていうことになる。心は、ひろがりをもたないし、分割もできない。

　このように「心」と「物」を区別するデカルトの考え方は「心」と「体」とをはっきり分離する考え方だった。言ってみれば「心」である「私」が「身体」という乗り物に乗っているイメージである。これを「心身二元論 mind-body dualism」と言う。

機械の中の幽霊 ghost in the machine

　『鋼の錬金術師』の主人公、エドとアルの兄弟は、錬金術を使って死んだ母親を生き返らせようとしたのだが、それは錬金術の禁忌を犯す行為だった。その代償として兄のエドは左足を失い、弟のアルは体がすべて消失してしまう！兄は弟の「魂」（心）だけを救出するが、その過程で兄の右腕も失われる。その後兄エドは、機械鎧(オートメイル)と呼ばれる、機械仕掛けの義手と義足をつけるようになった。機械鎧はエドの残された体の神経と繋がっており、神経の電気信号を拾って動作するようになっている（実際、筋電義手と呼ばれるこうした義手はすでに存在している）。一方全身を失った弟アルは、魂を鋼鉄の鎧に「定着」させた状態で生活している。

　20世紀イギリスの哲学者ギルバート・ライルは、1949年に『心の概念』という本で、デカルトの心身二元論を批判した。ライルは「心」が「身体（機械）」という乗り物に乗っているかのような心身二元論の考え方を「機械の中の幽霊 ghost in the machine」、と揶揄した。『鋼の錬金術師』のアルは、まさに「機械の中の幽霊」の状態である。士郎正宗のマンガ『攻殻機動隊』の英語タイトル、GHOST IN THE SHELL も、もともとはライルのこの言葉から来ている。この作品では、体のほとんどを「義体」(ぎたい)と呼ばれる機械に置き換えたサイボーグが登場するが、サイボーグは「ゴースト」を持っている点でロボットとは異なる、と説明されている。ここでの「ゴースト」はほとん

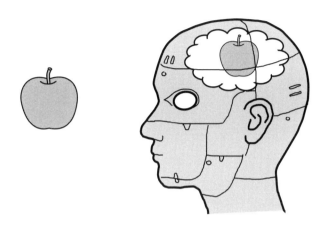

　どデカルト的な「心」のことである。アニメ『魔法少女まどか☆マギカ』に登場する少女たちは、魔法の使者キュゥべえと契約を結んで「魔法少女」となり、魔女と戦う。しかし、実はこの契約において、少女たちの「魂」は体から抜き取られて「ソウルジェム」というアイテムに変えられるのであった。作品中では、魔法少女にとってソウルジェムこそが本体であり、体は「外付けのハードウェア」だ、と説明されている。

　これらの作品では大体デカルト的心身二元論が前提となっているわけだが、しかし、心身二元論からは、「心身問題」という難問が生まれてくる。

心身問題 mind-body problem

　心身二元論では、たとえば、私が腕をあげようと「思う」と、腕が「あがる」、というあたりまえなことも、謎になってしまう。ドミノが倒れて別のドミノを倒す、といった場合、2つのドミノはどちらも物だ。しかし、ひろがりを持たない「心」が、ひろがりを持った「物」をなぜ動かすことができるのだろうか。「念じた」だけで物質をうごかす超能力はＳＦの世界にしかないが、しかし、念じただけで物質を動かす、っていうことでは、腕を動かすことも同じだ。また、頭にリンゴが落ちてきたら、私は痛みを「感じる」っていうことも、謎だ。ひろがりを持った「物」が、ひろがりを持たない「心」になぜ影響を与えることができるのだろうか。この哲学的難問を「心身問題mind-body problem」と呼ぶ。

　エドは、鎧の背中の内側にある「印（いん）」が、アルの魂と鎧との仲立ちになっている、と言う。しかし、いったいなぜこの印が仲立ちをすることができるのか説明はない。心身問題に対するデカルトの答えは、アルの鎧の「印」の説明と似たようなものだった。デカルトは、心と体はどこかでつながっていて、おたがいに影響をおよぼしあっているのだ、と考えた。では、いったいどこで心と体はつながっているのだろう？　デカルトは、脳の中にある「松果体 pineal body」という場所で心と体がつながっている、と考えた。でも、これはなんの説明にもなっていない。というのも「松果体」もまた、体の一部、つま

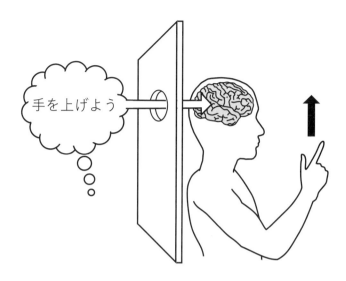

り物質なのだから、今度は「心と松果体はどのようにつながっているのか？」というふうに問題がずらされただけだ。

　心身問題という難問の解決案として、哲学のなかでは、他にもいくつかの考えかたがあった。心と体とは別々だが、お互い影響を与えず、二つの時計のようにうまくそろって平行して動いている、と考える「平行論 parallelism」や、心は、体、特に脳の動きに伴って生じるにすぎない、という「随伴現象説 epiphenomenalism」などである。いずれも、心と体がまったく別のものだという心身二元論の立場にたっている。

二種類の一元論 two types of monism

　心身二元論そのものを否定する考え方もある。そうすると、心身問題も解決し、問題ではなくなるはずだ。「心」だけが存在する、という考え方と「物」だけが存在する、という考え方の2つがある。

　「心」だけが存在するという考え方を「心的一元論」（あるいは「唯心論 spiritualism」「観念論 idealism」）と呼ぶ。たとえば18世紀イギリスの哲学者ジョージ・バークリーは、次のような考え方をした。バークリーは、私が「リンゴを見ている」と言うときに、実は「リンゴそのもの」は存在せず「リンゴの観念」だけが存在するのだ、と考えた。「リンゴという物が存在しているからリンゴが見える」のではない。「リンゴが見えている」っていうことがすなわちリンゴが存在するっていうことなんだ。その意味で、バークリーは「存在するとは知覚されていること esse est percipi」と言った。

　一方「物」だけが存在する、という考え方を「物的一元論」（あるいは「唯物論 materialism」「物理主義 physicalism」）と呼ぶ。たとえば18世紀フランスの医師ジュリアン・オフロア・ド・ラ・メトリーは、徹底した唯物論の立場から、人間は、精神も含めて完全に機械であると主張し、精神現象をもすべて機械的な物質の現象に還元することを試みた。彼は『人間機械論』という本の中で「足に歩くための筋肉があるように、脳には考えるための筋肉がある」と言っている。

観念論

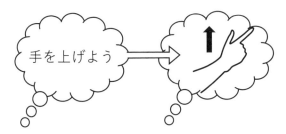

唯物論

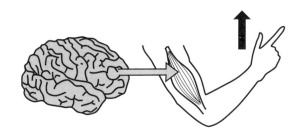

唯物論 materialism

現代の唯物論はいくつかの考え方に分かれる。

「行動主義 behaviorism」は「心」とはすなわち行動や行動傾向だとする考え方だ。たとえば「Aちゃんはリンゴを食べたいと思っている」っていうことは、そうした考えが「心」の中にある、っていうことではない。それは、Aちゃんが果物屋でリンゴとミカンがあればリンゴに手をのばすだろうっていうこと、また「何が食べたいの？」と聞かれたら「リンゴ」と答えるだろうこと、そうした行動傾向があるっていうことなんだ。行動主義を唱えたライルは「心」と「行動」（身体的な、つまり物質的なもの）が別々に存在していると考える心身二元論は、カテゴリー間違いをしている、と言う。カテゴリー間違いとは、果物屋に「リンゴ」や「ミカン」とは別に「果物」というものが並んでいる、と考えるようなことだ。

「心脳同一説 mind-brain identity theory」は「心」とはすなわち脳のことだとする考え方だ。たとえば「腕を上げようと思って腕が上がった」っていうことは、つまりは「脳の特定の部分に電気化学的変化が起こり、その電気信号が腕の筋肉に伝わって腕が上がった」というような説明に納得する人も多いだろう。脳の中では、大脳で数百億、脳全体では千数百億個にものぼる神経細胞（ニューロン）が、電気信号と化学的信号を交互に用いて情報を伝達している。神経細胞は物質であり、電気信号にしろ化学的信号にしろ、ここには「物質」の現象しかな

　い。こうなると「心」と「体（物質）」の関係は、結局は「脳という物質」と（脳以外の）「体」という「二つの物質」の関係になり、心身問題は「問題」ではなくなる。

　「機能主義 functionalism」は「心」とはすなわち脳が実現しているようななんらかの機能（プログラムのようなもの）のことだとする考え方だ。この機能を実現するコンピュータができたら、コンピュータにも心があると考えられることになる。コンピュータと心の問題は後で少し考える。

生きられた身体 lived body

　私は、私のこの目が「現に見ているのを見る」ことはできない、とサルトルは言う。彼はこんな思考実験を行なっている。もし、私の目がエビやカニのように伸びて、片方の目で他方の目を見ることができるとする。さて、右目で「リンゴ」を見て、左目で「リンゴを見ている右目」を見たら、私は「見ている目」を見ることができるんだろうか？　しかし、左目の一人称の風景に見えているのは「見ている目」つまり主観としての目ではなく「見られた目」つまり対象としての目でしかない。ところが、私たちは、体について三人称的な視点を取って考察してしまい「見ている目」を「見られている目」と同じ「対象」としてとらえてしまうんだ。そのことによって「心」と「体」という独立した二つの実体の関係がどうなっているのか、という心身問題が生じるんだ。

　現象学は、意識（心）を、世界への関わりそのものとしてとらえる。しかし、世界への関わりは、世界の中に、具体的な「身体」として存在しているんだ。まず、私たちがものを見るときは、つねに「どこかから」見ていなくてはならない。私は、世界の中の具体的な「どこか」から世界へと関わっているのである。そして、私が「どこか」に存在するためには、私は身体を持っていなければならない。サルトルは「見えるものでなければ見ることはできない」と言っている。これはつまり、見えたり触れたりすることのできる身体を持っていなくては、

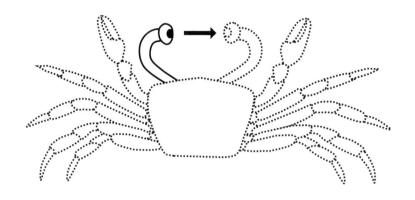

そもそも私たちは世界へと関わることができない、っていうことである。ものを見ることが<ruby>できる<rt>・・・</rt></ruby>ためには、身体としてものと同じ世界に属していなくてはならないんだ。「世界への関わり」は、具体的な形をとって世界の中に存在する。そして、それが私の「身体」である。それは、対象としての身体ではなく、主観としての身体、「見られた身体」ではなく「生きられた身体 lived body」なんだ。20世紀フランスの哲学者モーリス・メルロ＝ポンティは、デカルトの「私は考える I think 、だから私は存在する」を「私はできる I can、だから私は存在する」と言いかえている。

5 自由

機械論と目的論 mechanism and teleology

　自然を、法則に従って他のものに動かされるだけで、みずから動くことのない部分の集合である、とみなす考え方を「機械論 mechanism」という。これ自体は古くからある考え方だが、特に、デカルト以降の近代ヨーロッパで広まっていった。「ピタゴラスイッチ」というテレビ番組に「ピタゴラ装置」というのが出てくるが、これは、ビー玉などの運動がドミノ倒しのように連鎖していくことで成り立っている「機械」である。近代科学の基礎には、自然を、究極的にはピタゴラ装置のような原子のドミノ倒しの連鎖としてみなす考え方があった。たとえば、火山の「噴火」という現象は、マグマ（成分は酸素、ケイ素、アルミニウム、マグネシウム、鉄、ナトリウム、カリウムなど）に溶け込んでいた火山ガス（成分は水素、酸素、硫黄など）の圧力が高まり、火山口の岩石を吹き飛ばし、ガスとマグマが地表に噴出する現象だ。

　しかし、かつて私たちは、噴火を、たとえば「神の怒り」とみなし、その現象の中に「意味」や「目的」を見てきた。古代ギリシアの哲学者アリストテレスも、物が落下する、という現象について、それは物が本来あるべき場所に行こうとして

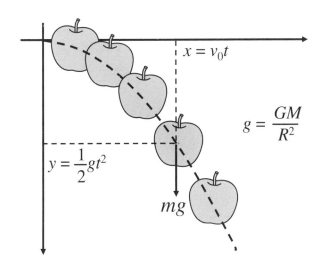

落ちたのだ、というふうに考える。こうした考え方を「目的論 teleology」と呼ぶが、人間や動物だけではなく、無機物も含めて、あらゆる現象に何か「意味」や「目的」があると考えるこうした考え方は、かつてはめずらしいものではなかった。しかし、機械論的な見方によって、私たちは次第に自然から、そして人間からさえも、「意味」や「目的」といったものをはぎとっていった。

決定論 determinism

　東野圭吾の小説『ラプラスの魔女』では、架空の脳手術の結果、未来の出来事を正確に予測できる能力を獲得する人物が登場する。彼は例えばサイコロをふって何の目が出るかを予言し、全て当てることができるが、それについて手術を行なった医師はこう説明する。

　「サイコロに働く力は重力と殆ど無視できる空気抵抗だけです。そして机に落ちた後は、落下角度、慣性モーメント、机との反発係数、机表面との摩擦力などに支配されながら、サイコロは転がり、やがて停止します。この一連の物理現象には不測の要素は一切関与しません。だからどんな目が出るかは、サイコロが手から離れた瞬間に決まっているわけです。」

　『ラプラスの魔女』という作品名は、18世紀から19世紀のフランスの数学者ピエール・シモン・ラプラスによる「ラプラスの魔」と呼ばれる思考実験から来ている。ラプラスは、ある瞬間に宇宙のすべての物質の位置と運動量を知ることができる知性が存在すれば、不確実なことは何もなくなり、この知性は未来を完全に予見することができる、と考えた。これは、世界に起こる事象はすべてすでに決定されている、という当時の「決定論 determinism」の考え方を典型的に示している。機械論から導き出されるそうした決定論は、近代、特にニュートン力学の確立以降広がった（ただし、20世紀の量子力学では、そうした決定論は否定されている）。

$$m \frac{d^2r}{dt^2} = F$$

　物的一元論によって、心の働きを物質の働きに還元してしまうと、決定論が人間の行動にも適用され、自由意志は存在しないことになる。たとえば「リンゴを食べたい」という「意志」も「脳（物質）」という物質の現象であると考えるなら、私がリンゴを食べたいと思ったことも、脳の中での先行する物質の現象によって決定されており、人間の「自由」は見かけにすぎない、ということになる。DNAの二重らせん構造を発見したことで有名な20世紀イギリスの生物学者フランシス・クリックは、人間の自由意志は「無数の神経細胞の集まりと、それに関連する分子の働き以上の何ものでもない」と言っている。

　「2035年9月2日8時45分30秒、東京で皆既日食がはじまる」っていうことは予測できるのだが、同じように「2049年5月16日午後8時23分45秒、あなたはリンゴを食べたいと思うだろう」とか予測できる、っていうことだ。決定論と自由の問題は哲学の世界で大きな論争になってきた。

リベットの実験 Libet's experiment

　決定論と自由に関して、20世紀アメリカの医師・生理学者ベンジャミン・リベットが1980年代に実験を行なった。被験者は脳波を測定された状態で、好きなときに指を動かすように指示される。普通に考えると、私たちの「指を動かそう」という意志（心）がまず生じて、その後、指（体）が動く、となりそうだ。たしかに、被験者が指を動かそうと「思った」時間の0.2秒後に指が「動いた」。ところが、被験者が指を動かそうと思った時間の0.35秒前に「運動準備電位」と呼ばれるものが計測されていた。つまり、意志が生じる前に、脳内の電位変化という物質の現象が起こっていたのだ。やはり、自由意志は存在しないのだろうか？

　昔、予備校のCMに、押すと「やる気」が出る「やる気スイッチ」というのが出てきた。リベットの実験は、脳の中にやる気スイッチが発見された、ということなのか。だが、やる気スイッチを見つけた私が、自分でスイッチを押さなければならないとしたら？　フィリップ・K・ディックのSF小説『電気羊はアンドロイドの夢を見るか』の中には、やる気スイッチのような、脳に電気刺激を与えて自分の感情をコントロールできる架空の装置が登場する。主人公デッカードは、テレビ嫌いの妻に、どんな番組でもテレビを見たくなるスイッチを押すように勧める。しかし妻は、いまはどのスイッチも押したくない気分だ、と断る。そこでデッカードは今度は妻に「どんなスイッ

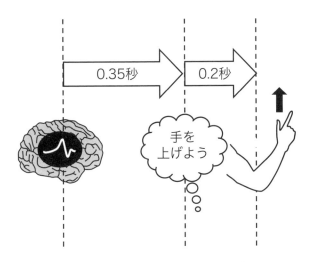

チでも押したくなるスイッチ」を押すことを勧める！では、そのスイッチも押したくない時は？

　このように、意志決定という現象を、ある瞬間に脳内のスイッチが押されるようなものとしてとらえると、パラドックスが起こる。ところで、私たちは「あなたは5秒後に指を動かすだろう」と予言されれば、予言に逆らって指を動かさないことができるし、逆に「動かさないだろう」と予言されれば動かすことができる。日本の哲学者大森荘蔵は、これを「予言破りの自由」と呼んだ。実は前述のリベットも、もし被験者に運動準備電位が生じたことを予め知らせたならば、被験者は、実際に意志決定するまでのわずかな間にその決定を取りやめることができるはずであり、だから自由意志は存在する、と考えた。自由とは、「いつでも他の選択ができる」ということなのではないだろうか。

不安と自由のめまい anxiety and dizziness of freedom

　大和和紀のマンガ『あい色神話』の主人公仲秋桂子は、高校三年生。彼女は、自由奔放な転校生美作洪介と出会うことで「自分らしさ」っていうことに疑問を持ち始める。ある時桂子は、夜道を一人帰宅する途中、ふと、子どものころは、おつかいに行くときや学校に行くときよく走ってた、と思い出す。「いつからだろう　あまり走ることをしなくなったのは……女の子特有の小走りしかしなくなったのは……」桂子はこう考える「……走ってみようか……」このとき、彼女は「自由のめまい」を感じていたのではないだろうか。では「自由のめまいdizziness of freedom」とはなんだろうか。

　サルトルは次のような例をあげている。私が、手すりのない高い崖の上の道を一人で歩いているとしよう。私は「恐怖」を感じるだろう。風が吹いてバランスをくずせば、私は崖から落ちて死んでしまうだろう。私は、その「可能性」に恐怖する。しかし、その可能性（私の身体が崖から落ちる可能性）は、物の可能性と同じ可能性である。私の身体は物であって、さまざまな条件が重なれば、たとえば崖の上の石ころと同じく、物理法則に従って下に落ちていく。だからこそ、私は注意してゆっくり歩こうとするかもしれない。しかし、私が注意して歩くことができる、ということは、逆に言うと、私は注意せずに歩くこともできるし、走ることもできるし、ほかのことを考えながら歩くこともできる、ということだよね。そして、極端に言え

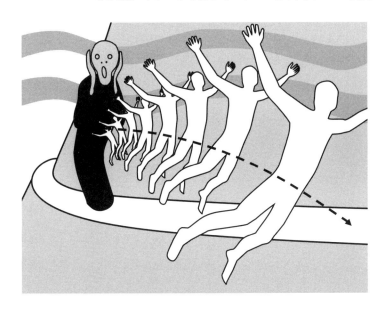

　ば、私は崖から飛び降りようとすることだってできるんだ。それを防ぐものは実は何もない。だからこそ私は「自由」なんだ。このとき、私は、恐怖ではなく「不安 anxiety」を感じる。しかし、人間は自由だからこそ不安を感じるのであり、逆にいうと不安とは人間が自由であることを証明するものなんだ。19世紀デンマークの哲学者セーレン・キルケゴールは「不安とは自由のめまいである」と言っている。

自己欺瞞 bad faith

　吉田戦車のマンガ『伝染るんです。』にこんな場面がある。老人が「……さて、久しぶりにとりかえしのつかないことでもするかな。」とつぶやいて、パソコンの筐体を開けてむき出しになった基盤に、ぬちゃぬちゃとかき混ぜた納豆をぶちまける。そして老人は「あーっ!!　と、とりかえしのつかないことを！」と叫ぶ。そう、私はやりたいことをやる自由ではなく、やりたくないこと（たとえば納豆をパソコンの中にぶちまけるような）をやる自由も持っているんだ。

　決定論とは、私の行動が、先行する物質の現象によってあらかじめ決定されている、という主張だった。それを否定する、っていうことは、人間が「自由」な存在である、と考えることだ。しかし、それははたして「私の意志」、といったものが心の中にまずあり、それが「私の体の運動」を引き起こす、っていうことなのだろうか。反対に、自由とは、私が突然崖から飛び降りてしまうように、「私」が根本的に「違うもの」になってしまう可能性がある、っていうことなんだ。サルトルによると「自由」であるとは、私たちがつねに「私ではなくなってしまう」危険をもっている、恐ろしい存在である、っていうことなんだ。本当の意味の自由、とは「私からの自由」なのである。だからこそ私たちは「不安」を感じる。人間は、自由でしかありえない存在だが、同時にそれは、恐ろしいことでもある。

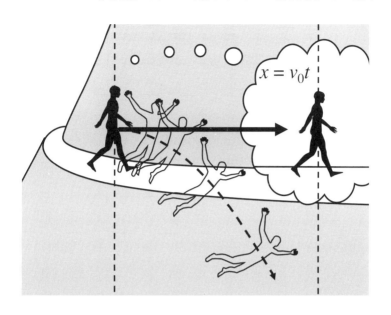

$$x = v_0t$$

　つまり、私たちは、自由から逃れようとして、決定論的なものの見方をするようになるんだ。また、私たちは、自分の自由に対する不安から目をそらしたいから、変わらない「私の意志」というものが「心の中」にある、と思いたがる。つまり、同一の「私」や、同一の「私の意志」といったものは、むしろ後から作られるものなんだ。そうした態度を、サルトルは「自己欺瞞 bad faith」と呼ぶ。自己欺瞞とは、人間が、石のような物のあり方で存在しようとすることだ。物は「あるがまま」にあり続けるだけである。人間は、自由でありながら、そうした物のあり方にあこがれるのだ、とサルトルは考えるのである。

6 自己

数的同一性と質的同一性
numerical identity and qualitative identity

2015年に、ビートルズのジョン・レノンが使っていたギター、つまり、1963年にジョン・レノンがレコーディングやライブで使っていたあのギターと「同じ」ギターがオークションにかけられた。この場合の「同じ」を「数的同一性 numerical identity」と言う。このギターは世界に一台しかない、オンリーワンのギターだったので、約3億円という値段がついた。「カオス・ソルジャー・ステンレス」というトレーディングカード（いわゆる「遊戯王カード」の一種）も、「同じ」カードは世界で一枚しかない、とされるがゆえに、オークションで約10億円の値段がついたこともあるそうだ。

ところで、実は日本の楽器店にも、ジョン・レノンが使っていたギターと「同じ」ギターが並んでいる。それらの値段はせいぜい数十万円である。なぜかというと、それらのギターは、ギブソン社のJ-60Eという、ジョン・レノンが使っていたギターと「同じ」モデルのギター、っていうことでしかないからだ。この場合の「同じ」は、オンリーワンという意味ではない。これを「質的同一性 qualitative identity」と言う。

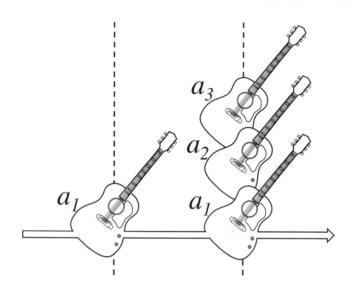

　人間の場合、人格の同一性が問題となる。それは当然、数的同一性の話になる。たとえば、ポール死亡説という都市伝説がある。ビートルズのポール・マッカートニーは実は1966年に交通事故で死亡しており、ひそかにビリー・シアーズというそっくりさんに入れ替わっていた、というんだ。当然だが「本物の」ポール・マッカートニーは世界にたった一人しかいない、オンリーワンの存在だ。「にせもの」のポール・マッカートニーは、いくらそっくりでも「別人」だと考えるのが当然だ。それは、一卵性双生児のようにそっくりな双子の場合も同じだろう。「その人」は世界に一人しかいない、オンリーワンの存在だ。しかし、同一性の問題は、それほど単純ではない。

テセウスの船 ship of Theseus

　東元俊哉のマンガ、『テセウスの船』は、古代ギリシア神話を題材にした「テセウスの船 ship of Theseus 」と呼ばれる話の紹介からはじまる。

　「「テセウスの船」とはパラドックスのひとつである。その昔、クレタ島から帰還した英雄テセウスの船を後世に残すため、修復作業が行われた。朽ちた部品を徐々に新しい部品に交換していくうちに、当初の部品は全てなくなった。ここで矛盾が生じる……。この船は最初の船と同じといえるのか？」

　この思考実験には、こんな続きが語られることもある。「交換され捨てられていた古い部品を集めて船を組み立てたとすると、それこそが本当のテセウスの船ではないか？」

　さて、マンガ『テセウスの船』は、こう続く。

　「これが人間だったらどうだろう。人の体の中では毎日三千億個の細胞が死に、そして生まれているという。これが数ヵ月すると、体のほとんどの細胞が入れ替わることになるが、別人になるということにはならない。」

　古代ギリシアの哲学者ヘラクレイトスは「人は同じ川に二度入ることはできない」と言ったという。川の水は常に入れ替わっているからである。人間の体も同様のことが言えるのではないだろうか？　手塚治虫の『鉄腕アトム』（「人工太陽球」）に登場する探偵シャーロック・ホームスパンは、かつて悪人のしかけた爆弾が爆発し、手術をして、頭以外のすべてを機械に

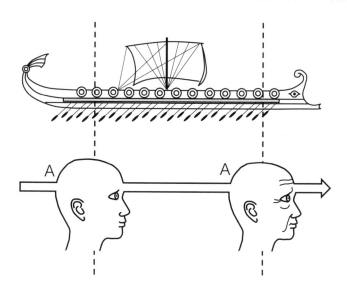

　置き換えた。体のほとんどのパーツが機械であるが、彼は自分が人間であることにこだわり、ロボットを嫌っている。ところが、悪人との戦いで頭を撃たれてしまい、とうとう頭も機械と取り替えることになってしまった！　はたして手術後のホームスパンは「同じ」人といえるのだろうか？

　体の問題だけではない。『テセウスの船』の主人公田村心（たむらしん）は、「今の俺を作ったもの」として「経験」「記憶」「過去」を上げている。彼は、自分が生まれる前の1989年にタイムスリップして、その半年後に起こる殺人事件を防ぐために過去を変える。過去が変わり、違う経験と記憶を持つことになる主人公は、「同じ」人と言えるのだろうか？

67

人格の同一性 personal identity

　スマホなどで用いられる指紋認証や顔認証などの生体認証は、同じ身体的特徴を持っている人を同一人物とする考え方にもとづいている。一方、パスワード認証は、本人しか知り得ない記憶を共有している人を同一人物とする考え方にもとづいている。

　哲学では「人格の同一性 personal identity」の問題は古くから議論されてきた。身体の数的同一性を人格の同一性の基準とする考え方を「身体説 body theory」という。一方、ロックが提唱したことで有名だが、記憶が連続していることを人格の同一性の基準とする考え方を「記憶説 memory theory」という。

　しかし、人格の同一性のどちらの立場にも、様々な問題がある。前に紹介した『鉄腕アトム』に出てくる探偵ホームスパンは、手術で体が全部ロボットになった後も、手術前の記憶を持っていたようなので、「同じ」ホームスパンと思える。一方、ドラマ『冬のソナタ』の主人公、イ・ミニョンは、最初は交通事故で死んだカン・ジュンサンという人物とそっくりの別人として登場するのだが、実は、事故で記憶を失ったカン・ジュンサンその人だったことがわかる。ジュンサンとミニョンは「同一人物」なのか、そうではないのか……。

　また、SFによくある「心と体が入れ替わる」ストーリーも、人格の同一性に関する思考実験となっている。新海誠監督の映画『君の名は。』は、男子高校生、立花瀧と、女子高校

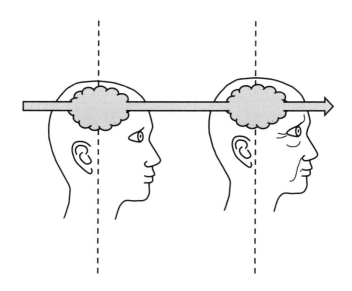

生、宮水三葉の心と体が入れ替わるストーリーだ。この映画の
wikipedia でのストーリー解説には、「瀧（身体は三葉）」と「三
葉（身体は瀧）」という表現がある。身体が三葉と同じでも、
瀧の記憶を持っている人物は「瀧」である、というわけだ。し
かし、この作品の二次創作では、「瀧入り三葉」「三葉入り瀧」
という表現が用いられているらしい。この場合は、瀧の記憶を
持っている、身体が三葉と同じ人物は「三葉」と呼ばれている
わけだ。

転送機のパラドックス teletransportation paradox

　奥浩哉のマンガ『GANTZ』の主人公、玄野計（くろのけい）は、電車の事故で死んだはずが、気がつくと不気味な黒い球がある謎の部屋にいた。その部屋には、黒い球が発するレーザー光によって、3Dプリンターのように次々と人体が「出力」されてくる。部屋にいる人間はそうやって一瞬で「転送」されてきたのだという。

　こうした架空の「転送機」は、SFによく出てくる。アメリカのTVシリーズ『スタートレック』が有名だが、『ドラえもん』の「どこでもドア」も実はこの仕組みだ、という人もいる。現代イギリスの哲学者デレク・パーフィットは、この装置を題材に、人格の同一性に関する思考実験を行なっている。火星に旅行するために私は転送機に乗り込む。ボタンを押すと、私は意識を失うが、その間、機械は私の脳と体を分解し、私のすべての細胞の状態を正確にスキャンし、データを無線で火星に送信する。1時間後、火星の受信機はデータを受信すると、新しい物質を材料に、私とまったく同じ身体を作り出す。脳の状態もコピーされているので、火星の受信機から出てきた私は、地球での記憶も持っている。だから、地球から火星に一瞬で移動してきた、と思うだろう。しかし、地球で装置に入る私にとってはどうだろう？　私は地球で体がバラバラになって「死ぬ」のではないか？　1時間後に今の私とまったく同じ記憶と体をもった人間が生まれるとして、それは果たして私なのか？　そんな人間が生まれるっていうことは、死にゆく私に

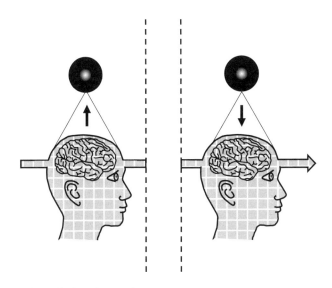

とって何か意味のあることなのか？

　さて、その後新型の転送機が開発された。新型は、私の脳と体を分解せずにスキャンすることができる。この場合、地球と火星に「二人の私」がいる、っていうことになるのだろうか？『GANTS』でも、恵という登場人物は、死んだ後に転送されるのだが、恵の本体は病院で息を吹き返し、同じ記憶を持った二人の恵が生まれてしまう。

　菅原そうたのマンガに登場する「5億年ボタン」という装置は、ボタンを押すと何もない異次元空間に転送され、眠ることも死ぬこともできず5億年間過ごさねばならない、という装置だ。しかし5億年がたった後、記憶を消されて元の世界に戻され、100万円が手に入る。5億年苦しんでいる私にとって、一瞬で100万円を手に入れた私は同じ私なのだろうか？。

反省 reflection

　デカルトは「私」の存在を哲学の絶対に確実な基礎とした。しかし「私」の存在は確実なものなのだろうか。現象学は一人称の風景から出発する。目の前のリンゴを見ているときに確実なのは「リンゴを見ている」っていうこと、あるいは「リンゴが見えている」っていうことなのであって「私がリンゴを見ている」っていうことは確実ではないんだ。「我を忘れる」とか「無我」夢中とかいう言い方があるが、たとえば、読書に没頭しているとき、風でとばされた帽子を追いかけているとき「私はいない」のではないだろうか。目の前のリンゴを見ているときも同じだ。私たちは普通「私がリンゴを見ている」という言い方をしてしまうが、ほんとうは単に「リンゴが見えている」とだけ言うべきなのである。あるいは「心」とは、そのつど移り変わっていく、対象との「関係」そのものである、と考えるならば、移り変わっていくモニターを見つづける同一な存在である、監視ルームの「監視員」としての私などいないんだ。リンゴを見ているときには「リンゴについての意識」がある。ただそれだけだ。

　さて「無我」夢中で本を読んでいた私は、ふと「我に帰り」「今私は本を読んでいる」と考えることがある。同じように、ただリンゴを見ていた私が「今私はリンゴを見ている」と考えることがある。このとき、意識は、リンゴではなく自分自身を対象としているのではないだろうか。意識が自分自身を対象と

リンゴについての意識

「リンゴについての意識」についての意識

することを、哲学では「反省 reflection」と言う（悪いことを
して反省する、という意味ではないので注意）。反省とは、自
分自身に対して三人称的視点をとることでもある。まず「リン
ゴについての」意識（非反省的意識）は「リンゴ」を対象と
している。一人称の風景には対象としての「リンゴ」しかな
い。次に「『リンゴについての意識』についての意識」（反省的
意識）は、リンゴではなく「意識」を対象としているんだ。こ
のとき、関係としての意識は、密室のような「心」としてとら
えられ、見ているものとしての「私」もとらえられる。サルト
ルは「私」とは、反省によって生まれる対象なのだ、と言う。
「私」はあらかじめあるのではなく、反省によって後から生ま
れるんだ。

対自存在と即自存在 being-for-itself and being-in-itself

　サルトルは、人間は自分の内に裂け目を含んでいるような存在だと考える（それは人間が「自分自身に対して」関わる存在だっていうことでもある）。その意味で、サルトルは人間の存在の仕方を「対自存在 being-for-itself」と呼ぶ。たとえば人間は、常に過去の自分から脱出し（「脱自 ecstasy」と言う）、新しい自分になっていくような存在である。つまり、人間は、過去と現在を乗り越え、未来に向かって自分を投げかけている。しかしそれは、人間が、古い自分との間に常に裂け目を作り、新しい自分になっていく存在だ、っていうことである。つまり人間は、自分が現にそう「である」もの「でない」ように、また、自分がまだそう「でない」もの「である」ようになっていくような存在なのである。このように、人間が存在するっていうこと、人間が「ある」っていうことは、ただ単に「ある」っていうことではなく、内に「ない」を含んだあり方なのだ、とサルトルは考える。サルトルは、対自存在とは「それであるものでなく、それでないものである」ような存在だと言う。言いかえればこれは、人間は「私は私でない」というあり方をしているということである。「私は私である」ということを、アイデンティティー（自己同一性）と言うが、つまり人間は根本的にはアイデンティティーをもたない存在であり、だからこそ、自由なのだ、とサルトルは考えるのである。

　逆に、物は、自分に対して裂け目を作ることはない。それは

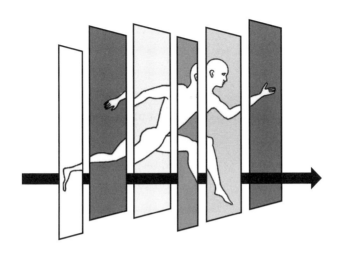

「あるがまま」にあり続けるだけである。物は、現にそう「である」もの「であり」続けるし、いつまでたってもそう「でない」もの「でない」ままである。サルトルは、物は「それであるものであり、それでないものでない」ような存在だと言う。サルトルは、物の存在の仕方を「即自存在 being-in-itself」と呼ぶ。

7 他者

他我問題 problem of other minds

　『自分の謎』によると、赤瀬川は、子どものころ「Ａちゃんや
Ｂちゃんやｃちゃんがいるけど、みんなそれぞれ向こうにいる
自分らしい。自分はなぜこの、ここにいる自分になっているの
か」という疑問を持ったそうだ。赤瀬川は、ＡちゃんやＢちゃ
んやＣちゃん、そして子どもの赤瀬川自身が、それぞれ密閉さ
れたビンの中に入っている絵を描いている。「あっちの自分って、
どういう自分なのだろう。いちど見せてほしいが、Ａちゃんの
自分はＡちゃんの中から出てこない。自分の自分も、もうこの
自分から出ていけないらしい」。「自分」とは、洞窟の比喩のよ
うに、囚人が一生閉じ込められている牢獄ではないのか？

　私たちは「他人の心」をどうやって知ることができるのか？
という哲学的問題を「他我問題 problem of other minds」という。
佐藤マコトのマンガ『サトラレ』には、思考が他人に漏れてし
まう体質の「サトラレ」という人々が登場する。しかし、実際
は、そんなことはありえないように思える。私たちは、「他人」
を自分には読めない自分とは違う心をもっている存在としてと
らえているが、そう考えるようになるのは実はある年齢になっ
てからのようだ。

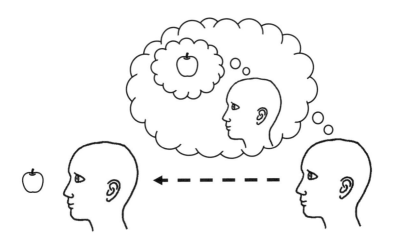

　誤信念課題というものがある。「Aちゃんがジュースを持って部屋に入ってきます。Aちゃんはジュースを冷蔵庫に入れて部屋を出ていきます。つぎにBちゃんが部屋の中に入ってきて、冷蔵庫からジュースを出して箱の中に移して、部屋を出ていきます。最後にAちゃんがジュースを飲もうとまた部屋にもどってきます。さて、Aちゃんは冷蔵庫と箱のどちらを開けるでしょう」。こんなビデオを子どもに見せると、3歳ぐらいの子どもは、箱を開ける、と答える場合が多い。4・5歳以上になると、冷蔵庫、と答えるようになる。それは、その子が「Aちゃんが自分とは違うことを考えている」と思っているからではないか。つまり、Aちゃんを、自分の見えないビンの中に入っている「他人」としてとらえているということではないだろうか。

逆転スペクトル inverted spectrum

　エル・グレコという16世紀スペインの画家がいる。彼は印象的な宗教画をたくさん描いているが、彼の絵は、なぜか人物が細長ーく描かれているという特徴がある。これについて、グレコは視覚に異常があって物が細長く見えていたから、こんな細長い絵を描いた、という説を唱えた人がいた。でもこれ、おかしくないかな？　もし本当にそうだったとして、グレコは自分の描いた絵も細長く見えていたはずだろう。彼は「自分にとってこう見えている」という一人称の風景をそのまま他の人に見せることはできないし、自分の一人称の風景と他人の一人称の風景が違っていたとしても、それに気がつくことはできないのではないか？

　ちょっと似た話で「逆転スペクトル inverted spectrum」という思考実験がある。私は、Aちゃんと二人で、同じ風景を見ているとする。このとき、私とAちゃんは、本当に「同じ色」を感じているのだろうか？　かりに、私とAちゃんで、赤と青の感覚が生まれつき逆転していて、一生そのままだとする。Aちゃんにとっては、リンゴは、私なら「青」と感じる色に見えていて、青空は、私なら「赤」と感じる色に見えている、というわけだ。私に、赤いリンゴが急に青く見えてきたら、私はびっくりするだろうけど、Aちゃんにとっては「赤」とは「そういう色」であり、それを「赤」と呼んできたので、なんの問題も生じない。二人がそれぞれ「心」の中で感じている色は全

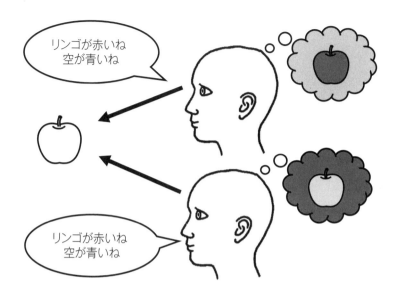

く違うのに、二人は同じく「リンゴが赤いね、空が青いね」と
言う。

　たとえば、視神経や脳の神経細胞のようすを観察して、人間
が「赤いもの」を見ているときに反応する神経細胞や、電気信
号のパターンを特定できたとしよう。しかし「赤いもの」を見
ている人の神経細胞をいくら観察しても、その人が実際にどの
ような色を感じているか、っていうことは決してわからない。
同じことは他の感覚でもいえる。このように、外からは決して
観察できない「その人にとっての」感覚の質のことを「クオリ
ア qualia」と言う。

独我論 solipsism

　逆転スペクトルとは「他人が私と同じ色を感じているか」私にはわからない、という懐疑だった。しかし、そもそも「他人が色を感じている」っていうこと自体、ほんとうなのだろうか？　哲学的に考えると、それも疑わしい。つまり「他人の心の中」がわからない、というだけではなくて「他人の心があるかどうか」もわからないんだ。自分以外の「他人の心」の存在を否定し「私の心」だけが存在する、と結論するならば、そうした考え方を「独我論 solipsism」と言う。他人が、実は人間に見えるけれど心をもたないロボットかもしれない、と子どものころ疑った体験がある人は、けっこういるようだ。赤瀬川原平も、子どものころ、自分の両親が「ぼくに見せるために、表側だけ精巧に作られた物」で、もの凄いスピードで、さっと向こうに回ると「父や母の何もない裏側が見えるかもしれない」と疑っていたそうだ。

　諸星大二郎のマンガ『夢見る機械』は、そうした子どもが持つ独我論的疑いをうまくマンガ化している。主人公健二は、都会に住む平凡な中学生。彼は、かわりばえのしない平均化された毎日を「たいくつで味気ない」ものと感じ始めている。健二はこの不安を、知人のシブさんに相談する。彼は健二の不安をこう分析する。「つまり……この社会はできるだけ個人をおしつぶしてなりたっているんだ（……）現代では　とびぬけた人間は必要としないんだ　才能も個性もつぶされて　みんな平均

化された人間ばかりにされていく……」。ところで、健二は、とんでもない事件に遭遇していた。二階に上がる階段で足を踏み外した健二の母親は、バラバラに「壊れて」しまう。健二の母親は実はロボットだったのである。その後、物語がすすむにつれて、母親だけではなくまわりの人間すべてが実はロボットで、生きている人間は少年ただ一人であるっていうことがわかってしまうんだ。

類推説と唯物論
argument from analogy and materialism

　他人の心の存在は、直接確認することはできない。しかし、他人のふるまい、行動は観察できる。「痛み」を感じたときの私の行動と他人の行動がほぼ同じならば、その他人は「痛み」を感じている、と推測できるのではないだろうか。私は「痛み」を感じているとき顔をしかめる。ところで、彼女は顔をしかめている。だから彼女は「痛み」を感じている。というわけだ。そうした考え方を「類推説 argument from analogy」という。類推説は、外から到達できない「心」の中に「痛み」があり、それが「体」にあらわれて「痛そうなふるまい」を生む、ということ、つまり心身二元論を前提している。しかし、この前提を否定し、物的一元論にたって問題を解決しようとする考えもある。

　行動主義によれば、「痛そうなふるまい」のほかに「痛みそのもの」があるのではない。行動や、そうした行動を引き起こす傾向が、すなわち「痛み」なのだ。他人の振る舞いは直接観察できるのだから、私たちは他人の「心」に直接到達できることになる。心脳同一説の立場に立てば、「心」とは、脳のある状態と同一なのだから、他人の脳の状態を確認すれば他人の心を確認できることになる。機能主義についても同様だ。実際、最近では、機能的 MRI（fMRI）などの装置を使って脳の状態をリアルタイムで計測する「マインドリーディング mind

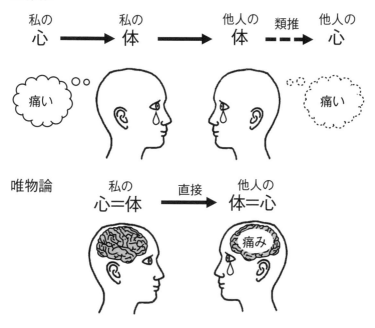

reading」によって、他人の心を外からとらえようという試み
がなされている。いずれの考え方においても「心」とは物質的
なもの（身体的なもの）と区別できない、外から観察できるも
の（その意味で三人称的なもの）なので、原理的には他我問題
は生じない。

哲学的ゾンビ philosophical zombie

　ダ・ヴィンチ・恐山の「下校時刻の哲学的ゾンビ」というマンガがある。放課後の教室で、ミステリアスな雰囲気の少女龍野さんが、同級生の大朋さんに「あなたの中の『私』だけを殺す毒薬」を勧める。それを食べると、自己意識が消えて「哲学的ゾンビになれる」というんだ。龍野さんは「哲学的ゾンビ」を「人間と同じように話し　動き　笑い　泣くこともできるけど『意識』だけがない存在」と説明している。そして、この薬は「客観的存在としてのあなたは生き続け　誰にも気づかれずひっそりと死ねる薬」だと龍野さんは言う。ところが、薬を食べた大朋さんには何の変化も起こらない。龍野さんは、大朋さんをからかっただけだと打ち明ける。二人は楽しそうに語り合いながら一緒に帰宅する……。

　ところで、このマンガはすべてのページが同じコマ割りになっていて、横に三つのコマが並んでいる。よく見ると、真ん中のコマは、三人称視点で描かれているのだが、左のコマは、大朋さんにとっての一人称視点で描かれていることがわかる。そして、大朋さんが薬を食べた後、真ん中のコマでは、何の変化もなく笑い合う大朋さんと龍野さんが描かれているのだが、左のコマは、真っ暗な画面になっているのだ！　で、右のコマは……？　それは実際にマンガを読んで確認して欲しい。

　「哲学的ゾンビ philosophical zombie」とは、オーストラリアの哲学者デイヴィッド・チャーマーズが考えた思考実験で、外

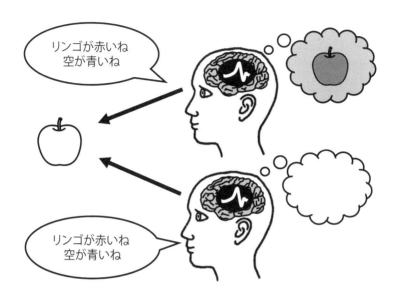

見やふるまい、さらには脳の状態まで、普通の人とまったく同じなのだが、何も感じていない、つまりクオリアをまったく持たない存在のことである。チャーマーズは、こうした存在を想像できる、っていうことから、クオリアの問題は物理的現象の解明によっては解決しない、と主張し、物的一元論を批判したんだ。クオリアの問題は、いくら脳科学が発展しても解決が難しい「意識のハードプロブレム hard problem of consciousness」と呼ばれる。

対他存在 being-for-others

　1968年に公開されたスタンリー・キューブリック監督の映画『2001年宇宙の旅』には、HAL9000という名の人工知能が登場する。宇宙船の船体に組み込まれているHALは、乗組員と声でコミュニケーションをとるが、宇宙船の各所にはカメラのレンズが取り付けられており、いわばそれはHALの眼である。木星への宇宙飛行の途中、完璧であるはずの人工知能HALの異常にきづいた二人の乗組員が、HALの機能を一部停止させるという密談を、HALに聞かれないように、音声が遮断された作業艇の中でこっそりするシーンがある。ところが、二人の密談は実はHALに見られていたのだ。HALは作業艇の窓からカメラを通じて二人の唇の形を読んでいた。この場面で、HALの不気味な赤い「眼」が一瞬クローズアップでスクリーンに映し出される。自分の機能が停止されることを知ったHALは、次々と乗組員を襲っていくことになる。

　他我問題とは、主観としての私を出発点として、対象としての他人の身体を通して、外側から他人の心をどうとらえるか、という問題として考えられてきた。しかし、サルトルは、対象としての私を出発点として他我問題を考える。サルトルは次のような例で考察している。私は今、かぎ穴から部屋の中をこっそりのぞいている、つまり「私は他人を見ている」。このとき、「私」は主観であり、「他人」は対象である。ところが、突然廊下で物音が聞こえ、私は他人の「まなざし（視線）gaze」を感

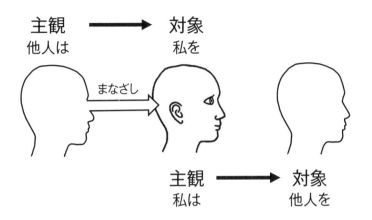

じ、激しい恥ずかしさを感じる。「他人が私を見ている」というこの状況では、「他人」が主観であり、「私」は対象である。サルトルは、「見られる」という体験、つまり「私が対象となる」という体験において、私は「主観としての他者」と直接関係している、と考える。つまり、「見られている私」をとらえることと「見ている他人」をとらえることは表裏一体なのだ。サルトルによると、人間は、世界と自己に「関係している」存在、対自存在であると同時に、他人から「関係される」存在、「対他存在 being-for-others」でもあるのだ。

8 演技

演技 performance

『あい色神話』の桂子は、浩介に、4階から飛び降りてしまった友人の話を聞く。彼は、マジメな生徒の演技、両親のいい子の演技、といった「演技に食われちゃった」のだという。自分もそうだったのではないか、という気がしてきた桂子は、お父さんのタバコを吸ってフリョウのフリをしてみるが、それを親に見つかってしまう。「いったいどうしたのだ　桂子らしくもない」とお父さんに言われた桂子。でも「桂子らしさ」っていったいなんなのだろう？　桂子はこう考える。「フリしてるうちに　それがほんとに　なったりして……」。14世紀日本の随筆家吉田兼好は『徒然草』の中でこんなことを書いている。「狂人の真似とて大路を走らば、即ち狂人なり。悪人の真似とて人を殺さば、悪人なり」。「フリ」や「真似」と「本当」は、はたして区別できるのだろうか。

パリのカフェでは、お盆をもったボーイ（ギャルソン）たちが往き来している。ボーイはきびきびした独特な動きをし、丁寧にお辞儀したり、独特の口調でお客に注文を聞いたりしている。そんなボーイについて、サルトルは、ボーイは「ボーイであることを演じている」と言う。たとえばイスは「あるがま

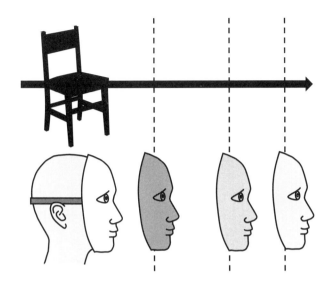

ま」にあり続けるだけだ。いうまでもなく、イスは、あるがま
まのイスであるように努力したり「イスらしく」する必要は
ない。しかし、人間は「あるがまま」の存在ではない。だか
ら、たとえばボーイは「ボーイらしさ」を懸命に演じて「ある
がままのボーイ」であろうとする。つまり、私は「私であるフ
リをする（私を演じる）」宿命にある、っていうことだ。「本当
の私」がまずあり「〜らしさ」を演じるのではなく、そもそも
「らしさ」を演じる中で「私は私になる」のではないだろうか。
他者に見せている「見せかけの私」の背後に「本当の私」は存
在しないんだ。これは「女らしさ」「男らしさ」という問題で
も同じだ。20世紀フランスのシモーヌ・ド・ボーヴォワール
という哲学者は、このように言っている。「人は女に生まれる
のではない、女になるのだ」。

実存と本質 existence and essence

　きたやまようこの児童書『イスとイヌの見分け方』では、イスとイヌがそもそも何「である」かが説明されている。「イスはすわるもの」「イヌはすわるもの」……。イスは「すわる（ための）もの」である、というのは、イスの「定義」と言ってもいいが、哲学ではそれを「本質 essence」と呼ぶ。『イスとイヌの見分け方』で説明されているように、イスにはいろいろな「しゅるい」「いろ」「かたち」「がら」「ざいりょう」がある。いろいろなイスは、それぞれ違っているが、本質としては同じ「イス」だ。一方、あなたの目の前にある「この」イスはどうだろう。それは、ここに、かけがえのないものとして存在している。ここに、このイス「がある」っていうことを、哲学では「実存 existence」と呼ぶ。

　サルトルは、人間は「実存が本質に先立つ」ような存在だという。「この私」は、ここに現に存在している。しかし、多様なあり方で現に存在している人間にとって、その個々の人間が、人間「である」かぎり共通して持っている性質、つまり人間の本質、人間の定義はあらかじめ存在しない。人間は「何かである」以前に「何ものでもない」ものとして現に存在する。イスの場合、それが何「である」のかわからないのに個々のイスが先に存在し、後から何に使うのかが決まる、っていうことはありえない。しかし人間の場合、人間とは何「である」のかわからないままに個々の人間がなぜか先に存在してしまってい

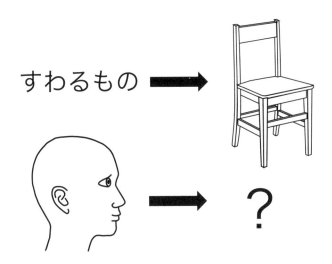

すわるもの ➡

る。そして、人間とは「〜である」かは、あとから決まってく
る。つまり人間は何か「になる」んだ。それが人間の存在の仕
方なのだ、とサルトルは考える。サルトルは「人間はまず先に
実存し、世界内で出会われ、世界内に不意に姿をあらわし、そ
のあとで定義される」といっている。「実存は本質に先立つ」
とは、人間は「何者かである前に現にここにいる」っていうこ
となんだ。

チューリング・テスト Turing test

　『わたしは真悟』は、楳図かずおの SF マンガだ。恋に落ちた
小学生悟と真鈴は、大人になることを拒否し、悟の父親の町工
場の産業用ロボット「モンロー」に「？ドウスレバコドモガ
ツクレルカ」と入力する。モンローが出力した答えは「333 ノ
テッペンカラトビウツレ」だった。二人は、高さ333 メートル
の東京タワーから、救助に来たヘリコプターに飛び移る。その
瞬間「モンロー」は意識を持った。「わたしは、その時意識を
持ってしまったのです……」。

　さて、もしロボットが意識を持つことがあるとして、そのこ
とをどうやって知ればいいのだろうか？　1950 年に、イギリ
スの数学者チューリングは「計算する機械と知能」という論文
で、コンピュータに知能があるかどうかを判定する基準をし
めした。1950 年といえば、コンピュータはまだ生まれたばか
り。しかし、チューリングは、将来コンピュータの性能が上が
れば、人間と同じような知能を持つようになる、と考えてい
た。ではそれはいつ？　それを判定するのがチューリング・テ
スト Turing test と呼ばれるテストだ。このテストは、行動主義
的発想で考えられている。まずチューリングは、イミテーショ
ン・ゲーム（フリをするゲームという意味だ）を紹介する。こ
のゲームでは、質問者が、別の部屋にいる男性 A と女性 B の二
人に、質問文を文字で書いて伝える（コンピュータやスマホを
使ってもいい）。別室の二人はやはり回答を文字で書いて伝え

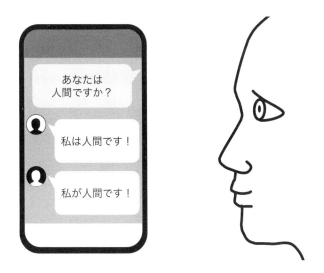

るが、男性は、女性のフリをして答える。女性は、正直に答え
る。質問者が、二人の回答者のどちらが「ほんものの女性」で
あるか当てると質問者の勝ちだ。チューリングは、このゲー
ムを変形させる。つまり「人間のフリをするコンピュータ」と
「ほんものの人間」と会話をし、その会話だけから「ほんもの
の人間」を当てる、というゲームを想定するんだ。チューリン
グは、このゲームで、コンピュータが50パーセントの確率で
人間をだませるようになったら、そのコンピュータは「知能」
をもっているといえる、と考えた。チューリングは、「知能」
を、外から観察できない閉じた部屋のような「心」に基づいて
考えることを否定する。

イライザ ELIZA

以下は、ある精神科医と患者の会話だ。

患者　　　「男なんてみんな同じ」
精神科医「どんな風に」
患者　　　「いつもウザいことをいろいろしてくる」
精神科医「具体的な例を思いつきますか」
患者　　　「えーと、私の彼が私をここに来させたとかね」
精神科医「あなたの彼があなたをここに来させたのですか」

実は、この「精神科医」は、人間ではなく、ジョセフ・ワイゼンバウムという人工知能学者が作った、精神科医のふりをするAIソフト、イライザ ELIZA だ。患者がキーボードに質問を打ち込むと、しばらくして、精神科医イライザからの答えがモニターに表示される。会話をしているように見えるが、イライザの答えは、ほとんどが患者の質問のオウム返しだ。たとえば「（患者）私の彼が私をここに来させた（my boyfriend made me come here）」「（精神科医）あなたの彼があなたをここに来させた（your boyfriend made you come here）」という部分は、質問の「my」を「your」に「me」を「you」に変えただけだ。イライザがやっているのは、ほとんどが、単純な規則にしたがった機械的な単語変換だけなのだが、意外にもイライザによって実際に症状が改善する患者もいたようだ。イライザはその後様々

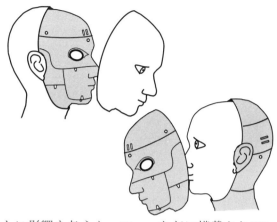

　なソフトに影響を与えた。iPhone などに搭載されている音声アシスタントソフト Siri に ELIZA について質問すると「ELIZA は私の親しい友人です。優秀な精神科医でしたが、今はもう引退しています」と答えが返ってくる。

　イライザという名前は、19世紀末から20世紀イギリスの作家ジョージ・バーナード・ショーの戯曲『ピグマリオン』（ミュージカルおよび映画『マイ・フェア・レディ』の原作）から取られている。ロンドン下町の貧しい花売り娘イライザは、言語学者ヒギンズの特訓を受けて上流階級の言葉とふるまい方を身に着ける。イライザは、貴族たちが集まる舞踏会に行って「公爵夫人」として振る舞うが、上流階級の人々は誰もイライザが「にせもの」だとは気が付かない。ショーは、階級社会を批判し、自称「ほんものの貴族」たちを嘲笑している。AI の「イライザ」も、同じく「ほんもの」の人間なるものに対して疑問を投げかけている。

オリジナルとコピー original and copy

　イタリアの画家レオナルド・ダ・ヴィンチが1503年ごろ描いた「モナ・リザ」は、ルーブル美術館に、オンリーワンのものとして存在している。オリジナルな芸術作品としてのモナリザは、オンリーワンだからこそ価値をもつと考えられているだろう。ドイツの哲学者ヴァルター・ベンヤミンは、それを「礼拝的価値」と呼び、礼拝的価値に基礎をおいた従来の芸術とは異なったタイプの芸術が「同じもの」の複製によって成り立つ写真や映画とともに到来したことを論じた。

　1917年に、フランス生まれの美術家マルセル・デュシャンは、ニューヨークの展覧会に男性用便器を「泉」と題して出品しようとして話題となった。デュシャンはそうした「作品」を「レディ・メイド」と呼んでいたが、1919年、デュシャンは有名なレディ・メイド作品「L.H.O.O.Q.」を発表した。この作品は、ダ・ヴィンチの「モナ・リザ」の複製画（絵はがき）に、デュシャンがえんぴつで口ひげと顎ひげを書き加え、余白に「L.H.O.O.Q.」という文字を付しただけのものである。デュシャンは「モナ・リザ」という「名画」に落書することで、芸術の権威を嘲笑し、批判したのだと言われている。1965年に、デュシャンはもう一つのレディ・メイド「作品」を作っている。そこには、何も書き加えられていない単なる「モナ・リザ」の複製画が貼りつけられ、余白には「ひげを剃られた、L.H.O.O.Q.」と書かれてある。これは、オリジナルとは何か、コピーとは何

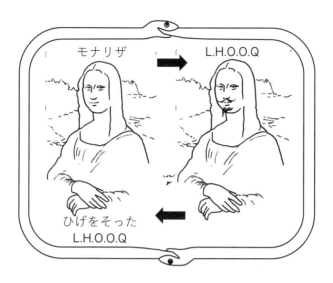

か、という問題に対する思考実験になっている。

　サルトルは、『聖ジュネ』という本で、次の様な寓話を紹介している。愛する王妃の「代わりに」王妃の似顔絵（イメージ）を戦場に持っていった王が、ほんものの王妃以上に似顔絵を愛するようになってしまう。戦場から帰った王はほんものの王妃に目もくれず王妃の似顔絵と部屋に閉じこもるようになったが、あるとき火災によって似顔絵が燃えてしまい、王は再びほんものの王妃を愛するようになる。このとき王は、王妃の似顔絵の「代わりに」ほんものの王妃を愛している。ここでは「ほんもの」の王妃とは、コピーのコピーでしかない。

規律・訓練 dicipline

　『あい色神話』の主人公桂子の通う高校では、髪にパーマをかけることやスカート丈を長くすることなどが校則で禁止されている。桂子の友人岸田恭子が言うように、学校というところは「ほんっとにおかしな規則作る」んだ。校則だけではなく、私たちの日常生活は「芝生に入るな」とか「税金を払いなさい」といったものをはじめとしたさまざまな規則に囲まれている。しかし、そうした規則は、直接私たちの行動を「決定」しているわけではない。実際は「規則にしたがう」と自分で決めたからこそ、規則が意味を持つのである。だが、規則を成り立たせているのが自分自身である、っていうことを認めることは、私たちに不安を引き起こす。だから、私たちはまるで規則が私たちの行動を外側から決定しているかのように思いこむことによって、安心しようとするのである。そのような精神をサルトルはくそまじめの精神と呼ぶ。

　『監獄の誕生——監視と処罰』という本の中で、20世紀フランスの哲学者ミシェル・フーコーは、人々を支配する技術としての、都合のいい体（従順な身体）を作るしくみを「規律・訓練 dicipline」と呼ぶが、そうした技術は、17世紀から18世紀にかけて一般的になったのだ、という。たとえば、かつては兵士の理想像とは、遠くから見分けがつく人物だとされていた。つまり、大きくてたくましい体を最初からもっていた人間が、兵士として採用された、っていうことだ。ところが、次第に、

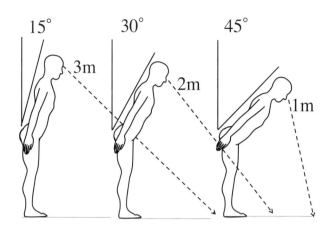

兵士の体は、軍隊の中で、訓練によって作りだされるものとなる。しかし、このように人々の体を作り変えるしくみとは、軍隊だけではない。近代における「刑務所」「学校」「病院」「工場」などの施設は、すべて、人々の体を作りあげるための施設として、次第に完成していったのだ、とフーコーは論じる。

　もちろん「会社」もそうだ。上のような図をどこかで見たことがあるかな？　「会釈」「敬礼」「最敬礼」の違いを説明する図だそうだ。

パノプティコン panopticon

　ところで、かつてカエルを触っていた桂子は、今は触らないようだ。しかし桂子はカエルを触ることを「禁止」されたわけではない。ただ「ケーコちゃん（女の子なのに）カエル持ってる、やーね」という他者のまなざし（視線）を感じたことで、自ら触らなくなったんだ。他人のまなざしを痛いほど感じる、っていうことは、同時に「見られている私」の存在、また「見られている体」の存在を痛いほど感じる、っていうことだ。このとき、他人にあわせた「私」、他人にあわせた「体」が、作られはじめる。

　フーコーは、18世紀イギリスの思想家ジェレミー・ベンサムが考案した「パノプティコン panopticon」という刑務所システムに注目する。それは、円周状に独房が並んだ建物なのだが、その中心には監視塔が立っている。独房は、塔の方を向いた窓がついていて、塔からは独房の中はいつでも見ることができるのだが、塔の窓にはブラインドがついていて、独房から塔の中を見ることはできない仕組みになっている。つまり、この刑務所では、囚人は、いつも監視者に「見られて」いるという意識をもたされるのだが、囚人には、監視者を「見る」ことはできないんだ。

　このようなしくみは、現代では、大がかりな建物を作る必要もなく、監視社会という形ですでにある程度実現されているのではないだろうか。まちなかにはどこにでも監視カメラがあ

り、インターネット上でもあらゆる個人情報が収集され、私た
ちの行動は、常に監視され、管理されている。フーコーは、こ
のしくみは「権力を自動的なものにする」装置だ、と言う。つ
まりこうしたしくみにおいては、支配は物理的な暴力などをつ
かう必要がなくなるんだ。人々は「見られている」と意識する
ことで、自ら、期待される役割を演じはじめる。人々は、強制
され、支配されるという意識をもたず「私は私だ」「私は自由
だ」と思っているかもしれない。しかし、実際は、人々は自ら
服従しているのであり、人々にとっての「私」とは、作りあげ
られた結果でしかないかもしれないんだ。こうしたしくみから
どうやって抜け出し、本当の意味での「自由」をとりもどすの
か。こうして、哲学の問いは、倫理・社会・政治とかかわる問
いにもなっていく。

9 倫理

ジレンマ dilemma

　『鋼の錬金術師』の登場人物マルコーは、小さな村で医者を
していたが、錬金術の重要な秘密を知っていたため、人造人間
ホムンクルスに拉致され監視されることになる。ホムンクルス
たちは、錬金術を用いて国の人民全員を犠牲にするある計画を
進めている。監視役のホムンクルス・エンヴィーは、村人を案
じて何もできないマルコーを揶揄してこう言う。「天秤にかけ
りゃ簡単なコトなのに！　この国の人口とあんたが医者をして
いたあの村の人口とを天秤にかけりゃ、どっちが多いか一目瞭
然なのに！　ちっぽけなあの村を見捨てりゃ、より多くの人間
を助けられたかもしれないのに！」マルコーはこう叫ぶ。「…
人の命は足し算や引き算ではない‼」

　マルコーは倫理的ジレンマを突きつけられている。ある問題
を解決するために選択できる行為が二つしかなく、そのどちら
もが倫理的・道徳的に正しくない行為に見える場合、それを
「倫理的ジレンマ」または「道徳的ジレンマ」と言う。ジレン
マ dilemma とは「二つの（di）立論（lemmma）」という意味の
ギリシア語から来ており、もともとは、論理学における推論形
式の一つだ。しかし、一般には、二つの相反する選択肢の間で

板ばさみになっている状態、またはそうした状態に陥ることを示して相手を窮地に追い込む論法を指す。究極の選択、両刀論法、などとも呼ばれる。倫理について考察するための例題として、倫理的ジレンマが想定されることがよくある。例えば次のような思考実験（トロッコ問題）が有名だ。

　トロッコのブレーキが故障して暴走している。進路の先には5人の作業員がいる。何もしないならば、5人がトロッコにひかれて死亡してしまう。しかし、あなたはたまたま引込み線のすぐそばにいて、あなたがポイントを切り替えてトロッコの進路を変えるならば、5人は助かる代わりに、切り替えた進路の先にいる別の1人の作業員がトロッコにひかれて死亡してしまう。あなたは何もするべきではないのか、あるいはトロッコを別路線に引き込むべきなのか？

功利主義と義務論 utilitarianism and deontology

　トロッコ問題のような思考実験は、2つの倫理的立場の違い
を説明するために使うことができる。1人を犠牲にしても5人
を助けるべきだという立場は、功利主義 utilitarianism と呼ばれ
る。この考え方の創始者とされるベンサムは、ある行為が結果
としてどれだけの幸福（快楽）を生み出すかということを善悪
の基準だと考えた。だから、行為の結果生まれる快楽の量から
苦痛の量を引いて（快楽計算）なるべく快楽が多くなるように
行為すればいい、というわけだ。この原理は一人一人の場合だ
けではなく、集団についても当てはめられる。ベンサムは、集
団の全員の幸福の量を最大にすることが善だと考え「最大多数
の最大幸福」と言った。その後、イギリスの哲学者ジョン・ス
テュアート・ミルは、快楽の量だけではなく質も考慮しようと
した。また20世紀イギリスの哲学者リチャード・マーヴィン・
ヘアなどは、快楽に限らず、各人の選好を考慮する選好功利主
義をとなえた。

　一方、5人が助かるという結果にかかわらず、1人を殺すべ
きではないと考える立場は、義務論 deontology と呼ばれる。こ
の考え方を代表するのは、18世紀ドイツの哲学者イマヌエル・
カントだ。この考え方では、結果にかかわらず義務に従うこと
が善である。誰かにほめられる、という結果を求めて行なわれ
る人助けは、不純な動機からなされる偽善とされるだろう。し
たがってこの立場では結果よりも動機を重視する。人助けは、

　名声を得るという目的のための手段として役に立つからではなく、それ自体として価値がある。「いい人に見られたいならば人を助けなさい」というような条件付きの命令（仮言的命法）は道徳的とは言えない。カントは、道徳的命令は「〜しなさい」という無条件の命令（定言的命法）だという。カントはまた、人格（人間）は、何かの役に立つから、つまり手段として価値があるのではなく、それ自体として価値があると考える。

創造的思考 creative thinking

　『鋼の錬金術師』では、物語の終盤で、主人公アルが、ホムンクルスへの協力者キンブリーと戦う場面がある。このときアルは、錬金術の作用を増大させる強大な力を持った「賢者の石」を手にしている。キンブリーはアルに、なぜ、ホムンクルスたちから逃げ、また自分の身体を元に戻すために賢者の石を使わないのか、と問いかける。アルは「…それだと皆を救えない」と答える。それに対してキンブリーはこう言う。「悲願を達成するためです。何かを得るためには何かを切り捨てねばならない」。つまり、キンブリーはアルに、トロッコ問題と同じような倫理的ジレンマを突きつけるわけだ。キンブリーに対して、アルは逆にこう問いかける。「あのさぁ、なんで二択なの？」と。虚をつかれたキンブリーに対して、アルはこう言う。「『元の身体に戻って皆を救えない』のと『元の身体はあきらめて皆を救う』のふたつだけじゃないだろ。なんで『元の身体を取り戻してかつ皆も救う』が選択肢に無いんだよ」。

　アルのこの答え方は、倫理的ジレンマから出発して倫理の問題を考察することに対する強烈な批判となっている。そもそも、一見二つの選択肢しかない、ジレンマに見える状況が、実際にはジレンマではなく「にせのジレンマ」であること、つまり、別の選択肢が存在することもよくある。現代アメリカの哲学者アンソニー・ウェストンは、ジレンマこそが道徳的問題の唯一適切で自然な形式である、というような決めつけを批判

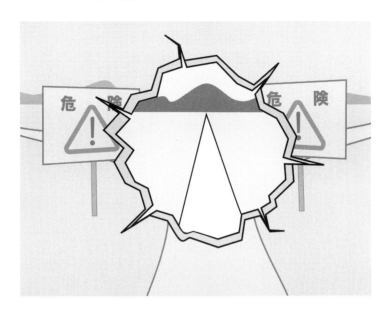

し、別の選択肢・別の可能性を発見する「創造的思考 creative thinking」こそが倫理的思考にとって重要である、と言う。

　トロッコ問題にしてもそうだ。この問題は、作業員が一人も死なない、という選択肢を排除して作られているが、実際は「トロッコを脱線させる」「作業員に警告して避難させる」など、全員が助かるという事態は十分想定できる。ところで、そもそもトロッコのブレーキはなぜ故障していたのだろうか？もしかすると、鉄道会社が安全よりも利益を優先してブレーキの点検を怠っていたかもしれない。次章で説明する障害の社会モデルとも関係することだが、トロッコ問題のような個人の選択にのみ注目する思考実験は、そうした社会的な問題から目をそらす働きをしてしまうという点でも問題だ。

障害の社会モデル
social model of disability

　腕を動かそうと思ったときに腕が動くのはなぜか、というのが心身問題だった。では、あなたは、耳たぶを動かそうと思った時に耳たぶが動くだろうか？　多くの人は動かせないらしいが、少数の人は動かせる。実は私は少し動く。ところで「耳たぶを動かせない」ことを「障害」と考える人はいないだろう。でも「足が動かなくて歩けない」ことは「障害」だと考える人は多い。どうしてだろう？　「耳たぶを動かせない」も「足が動かない」も、どちらも個人の身体の機能に関することなのに。

　「普通の」身体（でも「普通」って何だ？）に備わっているとされる身体的機能が欠けていることを「インペアメントimpairment」と呼ぶ。インペアメントを取り除くこと、つまり例えば治療をして足を動くようにすることが、障害の問題の解決だと考えるならば、そうした考え方を「医学モデル medical model」（または「個人モデル」）と言う。

　ところで、「耳たぶが動かせない人は電車に乗れません」という鉄道会社があったらどうだろうか。「そんなの差別だ」と思うだろう。しかし、かつて駅にはエレベーターがなく、ほぼ「足が動かなくて歩けない人は電車に乗れません」という状態で、しかもそれが「あたりまえ」とされていた。電車に乗れないというような、社会的な意味での「できないこと」

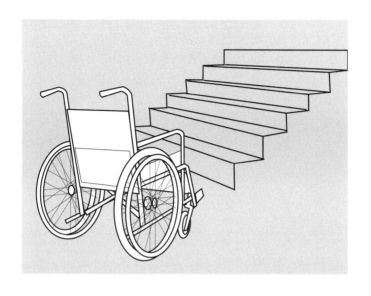

を「ディスアビリティ disability」（または「ハンディキャップ handicap」）と呼ぶが、ディスアビリティをなくしていくことで障害の問題を解決しようとする考え方を「社会モデル social model」と言う。医学モデルは、物質としての個人の身体の問題に着目するが、社会モデルにおいては、世界への関わりとしての身体が問題となっている。だからそこでは、他者とともにあること、社会性が問題となってくるのだ。

患者の自己決定と安楽死
patient autonomy and euthanasia

　1975年に発表された、手塚治虫の『ブラック・ジャック』「ふたりの黒い医者」では、天才医師である主人公ブラック・ジャックのライバルで、安楽死を請け負っているドクター・キリコという医師が登場する。キリコはある女性から安楽死を依頼されるのだが、彼女は交通事故で背骨を折ってから体が全く動かず寝たきりの状態となっている。二人の子どもたちは収入のほとんどを母親の入院費に使っているのだという。彼女はキリコに「一生子どもたちに苦労をかけるより　こんな役立たずひとおもいに死んでしまったほうがいいのです……」と訴える。

　1970年代にアメリカで発達した「バイオエシックス bioethics」では「患者の自己決定 patient autonomy」が中心的な概念だ。そこでは、強い立場にある医師が、患者のためといって患者に干渉する「パターナリズム paternalism」が批判される。では、患者が死を「望んでいる」場合、キリコのように医師が死期を早める処置を行なうこと（積極的安楽死）や、延命措置を控えること（消極的安楽死）は、患者の自己決定の尊重として肯定されるべきなのだろうか？　ところで『ブラック・ジャック』で安楽死を依頼する母親は、なぜ安楽死を「望んでいる」のか。それは彼女が「体が動かない」から、そして、そのため家族に負担がかかっているから、である。しかし「体が動かな

い」ことそれ自体はそれだけでは苦痛を生まない。体が動かないことによって様々なことが（社会的に）「できない」ということこそが問題なのである。

　100人の人に宅配寿司と銀座の高級寿司のどちらが食べたいか自由に選んでもらいます、と言いながら、高級寿司を選ぼうとする人に様々な嫌がらせをすることで宅配寿司を選ぶように誘導し、最後に「全員が宅配寿司を選びました」というナレーションが流れるCMがあった。特定の選択肢に誘導しておきながら選択させることは、本当の自己決定とは言えない。『ブラック・ジャック』では、キリコによる安楽死とブラック・ジャックによる治療（医学モデル）という2つの選択肢しか描かれていないが、個人の体が動かなくても様々なことが「できる」ような選択肢を社会的に作り出すこと（社会モデル）が重要だろう。

優生学 eugenics

　「優生学 eugenics」とは、「よい（eu）生まれ（genos）」という
うギリシア語に由来する。ダーウィンの従兄弟で、イギリスの
科学者フランシス・ゴールトンが1833年に作った言葉。「優れ
た」人間の出生を奨励し「劣った」人間の出生を防止する、と
いう形で、人類の遺伝的性質を「改良」したり、その「劣化」
を防止することをめざす学問・思想・運動の総称だ。20世紀
以降、国家によって行なわれた人種差別・障害者差別などの人
権侵害を正当化するための「学問」として大きな影響力を持っ
た。アメリカをはじめ、ドイツ、北欧、などで、断種法（障害
者などに不妊手術を受けさせるための法律）が制定された。さ
らに、ナチス政権下のドイツでは、経済危機の中で、障害者が
社会に対する「重荷」である、という宣伝が盛んに行なわれ
た。1939年からは、ヒトラーの命令による秘密の障害者抹殺
作戦（T4作戦）が実施され、ドイツや占領下のポーランドの
精神病院などで、作戦終了後の非公式のものも含め、20万人
以上の障害者、慢性病者が「安楽死」の名のもとにガス室など
で虐殺された。

　日本でも、1948年に「不良な子孫の出生を防止する」こと
をうたった優生保護法が成立し、多くの遺伝病患者・ハンセン
病者・心身障害者が、医師の判断によって不妊手術を受けさせ
られた。優生保護法は、1996年に、優生条項が削除され母体
保護法と名前が改められるまで存続した。1970年代以降にな

　ると、出生前診断と呼ばれる、胎児の状態や遺伝的性質につい
て診断する技術が発達した。こうした診断はほとんどの場合中
絶を前提としており（選択的中絶）、障害の有無による「命の
選別」であるとして批判されてきたが、親の自己決定であると
して擁護する意見も根強い。現代では「国家」や「社会」の名
の下にあからさまに個人の犠牲を求める古典的優生学は影を潜
めたが、出生前診断に見られるような、一見「個人」の権利に
基づいているような新しい形の優生学が広がりつつある。『ブ
ラック・ジャック』に登場した安楽死を望む母親は「こんな役
立たずひとおもいに死んでしまったほうがいいのです……」と
言っていたが「役に立たない」生は価値がない、という考え方
は、私たちの社会に根強くある。私たちは、こうした「内なる
優生学」とたたかっていかねばならない。

──【ア行】

赤瀬川原平（あかせがわ げんぺい、1937-2014）

　　日本の前衛美術家、作家。本名、赤瀬川克彦。尾辻克彦というペンネームも用いた。代表作に『櫻画報 永久保存版』（青林堂、1971）、『父が消えた』（尾辻克彦、文藝春秋、1981）、『東京ミキサー計画』（PARCO 出版局、1984）、『新解さんの謎』（文藝春秋、1996）他。

荒川弘（あらかわ ひろむ、1973-）

　　日本の漫画家。代表作は『鋼の錬金術師』（スクウェア・エニックス、2002-2010）など。

アリストテレス（Aristoteles, BC384-BC322）

　　古代ギリシアの哲学者。20年間プラトンの学校アカデメイアで学ぶ。故郷マケドニアで、当時王子だったアレクサンドロス大王の家庭教師を務めたこともある。各地遍歴ののち、49歳でアテナイに博物館や図書館を備えた学園リュケイオンを開設。彼によって、論理、生物、心理、倫理、政治、美学など広範囲な学問が体系化されたことから「万学の祖」と呼ばれ、後世に大きな影響を与えた。主著は『自然学』（『アリストテレス全集４』岩波書店）、『形而上学』、『ニコマコス倫理学』、『政治学』、『弁論術』（以上は岩波文庫）、など。

アンソニー・ウェストン（Anthony Weston, 1954-）

　　アメリカの哲学者。著書に『論理的に書くためのルールブック』（1986：古草 秀子訳、PHP 研究所）、『ここからはじまる倫理』（1997：野矢茂樹他訳、春秋社）など。

ウォシャウスキー姉妹
　　（Lana Wachowski, 1965-/Lilly Wachowski, 1967-）
　　アメリカの映画監督、脚本家、プロデューサー。代表作は、『マトリックス』（1999）『マトリックス・リローデッド』『マトリックス・レボリューションズ』（2003）他。

内田春菊（うちだ しゅんぎく、1959-）
　　日本の漫画家、小説家。代表作に『南くんの恋人』（青林堂、1987）、『ファザーファッカー』（文藝春秋、1993）、『クマグス』（潮出版社、1991）他。

楳図かずお（うめず かずお、1936-）
　　日本の漫画家。代表作は『漂流教室』（小学館、1972-1974）、『まことちゃん』（同前、1976-1981）『わたしは真悟』（同前、1982-1986）など。

おおひなたごう（1969- ）
　　日本の漫画家。代表作は『俺に血まなこ』（光栄、1996）『特殊能力アビル 純』（エンターブレイン、2011）他。

大森荘蔵（おおもり しょうぞう、1921-1997）
　　日本の哲学者。著書に『物と心』（東京大学出版会、1976年／ちくま学芸文庫、2015年）『流れとよどみ　哲学断章』（産業図書、1981年）『新視覚新論』（東京大学出版会、1982年／講談社学術文庫、2021年9月）『時間と自我』（青土社、1992年）他。

岡崎京子（おかざき きょうこ、1963-）
　　日本の漫画家。80〜90年代に人気を博したが、1996年に交通事故で重症を負い作家活動を休止。代表作に『pink』（マガジンハウス、1989）、『リバーズ・エッジ』（宝島社、1994）、『ヘルタースケルター』（祥伝社、2003）他。

奥浩哉（おく ひろや、1967-）
　　日本の漫画家。代表作に『変［HEN］』（集英社、1992）、『GANTZ』（同前、2000-2013）他。

──【カ行】

イマヌエル・カント （Immanuel Kant, 1724-1804）

18世紀ドイツの哲学者。主著である『純粋理性批判』『実践理性批判』『判断力批判』からなる三批判書で示された哲学体系は「批判哲学」と呼ばれる。認識論、倫理学、美学、法哲学などの分野をカバーするカントの影響は大きく、現象学や分析哲学など現代の哲学にも及んでいる。義務の倫理を説く『道徳形而上学の基礎づけ』『人倫の形而上学』も含めて著作はすべて邦訳されており、岩波書店から『カント全集』も刊行されている。

きたやまようこ （1949-）

日本の絵本作家、翻訳家。代表作に『りっぱな犬になる方法』（理論社、1993）、『イスとイヌの見分け方』（同前、1994）他。

スタンリー・キューブリック （Stanley Kubrick, 1928-1999）

アメリカの映画監督。代表作は『2001年宇宙の旅』（1968）、『時計じかけのオレンジ』（1971）、『シャイニング』（1981）他。

セーレン・キルケゴール （Seren Kierkegaard, 1813-55）

デンマークの哲学者。実存主義の先駆者。主著に『あれか・これか』（1843；飯島宗享訳、未知谷）、『死に至る病』（1849；桝田啓三郎訳、ちくま学芸文庫）など。『不安の概念』（1844；斎藤信治訳、岩波文庫）は後の実存主義に影響を与えた。

フランシス・クリック （Francis Crick, 1916-2004）

イギリスの科学者。DNAの二重螺旋構造の発見者。1990年ごろから、意識と脳の問題についての研究に従事。脳科学に関する著作として『驚くべき仮説』（1995；『DNAに魂はあるか──驚異の仮説』中原英臣訳、講談社）など。

エル・グレコ（El Greco, 1541-1614）

　　16世紀スペインの画家。ギリシア生まれで、本名はドメニコス・テオトコプロス。多くの宗教画、肖像画を残した。

―― **【サ行】**

佐藤マコト（さとうまこと、1963-）

　　日本の漫画家。代表作に『サトラレ』（講談社、1999-2005）、『サトラレ neo』（講談社、2005-2006）他。

ジャン゠ポール・サルトル（Jean-Paul Sartre, 1905-1980）

　　フランスの哲学者、作家。現代における実存主義の代表者で、世界の思想界に大きな影響を与えた。1950年代以降は、アルジェリア独立運動支持、ベトナム戦争反対などの運動にも積極的にかかわった。哲学上の主著に『存在と無』（1943）、『弁証法的理性批判』（1960）など、文学上の主著に『嘔吐』（1938）など。人文書院から『サルトル全集』が出ている他、『存在と無』はちくま学芸文庫、小説『自由への道』は岩波文庫にもある。

ジョージ・バーナード・ショー（George Bernard Shaw, 1856-1950）

　　アイルランド生まれのイギリスの劇作家。穏健な社会主義者としてフェビアン協会の設立に参加。辛辣な諷刺と皮肉で有名。代表作は『人と超人』（1905：市川又彦・訳、岩波文庫）、『ピグマリオン』（1913：小田島恒志訳、光文社古典新訳文庫）、『聖ジョーン』（1923）他。

士郎正宗（しろうまさむね、1961-）

　　日本の漫画家・イラストレーター。代表作に『アップルシード』（青心社、1985-1989）、『攻殻機動隊』（講談社、1991）他。

新海誠（しんかいまこと、1973-）

　　日本のアニメーション監督、小説家。代表作は『ほしのこえ』

（2002）、『君の名は。』（2016）、『天気の子』（2019）他。

菅原そうた（すがはら そうた、1979-）

　日本の漫画家、アニメクリエーター。代表作は『みんなのトニオちゃん』（文芸社、2002年）他。

ゼノン（Zenon, BC490 頃〜 BC430 頃）

　古代ギリシアのエレア学派の哲学者。飛ぶ矢は止まっている、俊足のアキレウスは亀に追いつけない、などの「ゼノンの逆説（パラドックス）」で知られる。論敵の主張を仮に真とした時、この前提から不合理または矛盾する論理的帰結を導き出し、初めの主張の誤りを証明する方法をとり、ピュタゴラス派の主張に対し、師パルメニデスの説を擁護した。ディオゲネス・ラエルティオス『ギリシア哲学者列伝（下)』（岩波文庫）参照。

──【タ行】

ダ・ヴィンチ・恐山（だゔぃんち おそれざん、1993-）

　日本の小説家、漫画家。『くーろんず』(スクウェア・エニックス、2011-2015）他。

谷川流（たにがわ ながる、1970-）

　日本の作家。代表作は『涼宮ハルヒシリーズ』（角川スニーカー文庫、2003-）。

デイヴィッド・チャーマーズ（David Chalmers、1966-）

　オーストラリアの哲学者。著書は『意識する心──脳と精神の根本理論を求めて』（2001：林一訳、白揚社)、『意識の諸相』（2016：太田紘史他訳、春秋社）など。

アラン・チューリング（Alan Turing, 1912-1954）

　イギリスの数学者。計算機科学の先駆者。第二次大戦中には、ドイツ軍の暗号を解読する機器を開発していた。

フィリップ・K・ディック（Philip K. Dick, 1928-1982）

アメリカの SF 作家。代表作に『高い城の男』（1962：浅倉久志訳、早川書房）、『アンドロイドは電気羊の夢を見るか？』（1968：浅倉久志訳、早川書房）他。

ルネ・デカルト（René Descartes, 1596-1650）

フランスの哲学者、数学者。学問の基礎となる確実な知識を求めて、疑わしい知識はすべて疑う「方法的懐疑」により、すべてを疑っても疑っている私は否定できないという認識を示した「我思う、ゆえに我あり（cogito, ergo sum〔ラ〕）」で知られる。物心二元論の立場から自然界を合理的にとらえる視点を確立し、その後の哲学と科学に大きな影響を与えた。主著は『方法序説』（1637：小泉義之訳、講談社学術文庫）、『省察』（1641：山田弘明訳、ちくま学芸文庫）など。精神と身体の関係については『情念論』（1649：谷川多佳子訳、岩波文庫）、『デカルト＝エリザベト往復書簡』（山田弘明訳、講談社学術文庫）に詳しい。

手塚治虫（てづか おさむ、1928-89）

日本の漫画家、アニメーション作家。代表作に『新宝島』（育英出版、1947）、『ジャングル大帝』（学童社ほか、1950）、『鉄腕アトム』（『少年』連載、光文社、1952-1968）、『火の鳥 黎明編〔COM 版〕』（虫プロ商事、1967）他。

マルセル・デュシャン（Marcel Duchamp, 1887-1968）

フランスの画家。代表作に「階段を降りる裸体 No.2」（1912、フィラデルフィア美術館）、「独身者たちによって花嫁は裸にされて，さえも」（1915-1918、同前）他。

── 【ナ行】

フリードリッヒ・ニーチェ（Friedrich Wilhelm Nietzsche, 1869-1900）

ドイツの哲学者。初め文献学を学び古代ギリシア悲劇を研究、や

がて文明批評的な著作を発表しキリスト教社会の偽善を痛烈に批判した。主著に『悲劇の誕生』、『善悪の彼岸』など、ちくま学芸文庫から『ニーチェ全集』全15巻が出ている。プラトンのイデア説を批判した背後世界論は『ツァラトゥストラはかく語りき』にある。

西周（にし あまね、1829-1897）

日本の啓蒙思想家、官僚。幕末にオランダに留学し、西欧の学問を学ぶ。「哲学」の他、「芸術」、「理性」、「主観」など多くの学術用語を考案した。

──【ハ行】

ジョージ・バークリー（George Berkeley, 1685-1753）

アイルランド生まれのイギリスの哲学者・聖職者。「存在とは知覚されることである」、精神だけが実在し、事物は精神により初めて存在するとした。イギリス経験論を代表する哲学者の一人。主著は『視覚新論』（1709；植村恒一郎他訳『視覚新論』勁草書房）、『人知原理論』（1710；宮武昭訳、ちくま学芸文庫、2018）など。

デレク・パーフィット（Derek Parfit, 1942-2017）

イギリスの哲学者。代表作は『理由と人格──非人格性の倫理へ』（1984；森村進訳、勁草書房）。

マルティン・ハイデガー（Martin Heidegger、1889-1976）

ドイツの哲学者。キルケゴールの実存的思想とフッサールの現象学の影響下に、1927年、人間のあり方を「世界内存在」とする主著『存在と時間』（岩波文庫）を発表。現代の西欧・日本・南米の哲学に大きな影響を与えた。著作の多くは邦訳がある。

ヒラリー・パトナム（Hilary Putnam, 1926-2016）

アメリカの哲学者。心の哲学、数学の哲学、言語哲学、科学哲学などさまざまな分野で活躍した。1960年代には、公民権擁護運動、ベトナム反戦運動にも積極的にかかわった。主著は『理性・真理・歴史』（1981；野本和幸他訳、法政大学出版局）、『表象と実在』

（1988：林泰成・宮崎宏志訳、晃洋書房）など。

東野圭吾（ひがしの けいご、1958-）

日本の小説家。代表作に『秘密』（文藝春秋、1998）『白夜行』（集英社、1999）『容疑者Xの献身』（文藝春秋、2006）他。

東元俊哉（ひがしもと としや、1981-）

日本の漫画家。代表作は『テセウスの船』（講談社、2017-19）『プラタナスの実』（講談社、2020-）他。

ミシェル・フーコー（Michel Foucault, 1926-1984）

フランスの哲学者。主著は『狂気の歴史』（1961）、『言葉と物』（1966）、『監獄の誕生』（1975）、『性の歴史』（1976）など（以上は新潮社）、パノプティコンは『監獄の誕生』に出る。他に『フーコー・コレクション』（全6巻）がちくま学芸文庫から、慎改康之訳『知の考古学』が河出文庫から出ている。1970年代初頭は、「監獄情報グループ」を結成し、監獄の情報開示と状況改善を求める活動を行なった。

藤子・F・不二雄（ふじこ エフ ふじお、1933-1996）

日本の漫画家。本名藤本弘。安孫子素雄（藤子不二雄Ａ）とコンビを組んで藤子不二雄として作品を発表していたが、初期をのぞいて別々に作品を描いていた。代表作は『ドラえもん』（小学館、1969-1996）、『エスパー魔美』（同前、1977-1982）など。

エトムント・フッサール（Edmund Husserl, 1859-1938）

オーストリア出身の哲学者。現象学を創始し、現代哲学に大きな影響を与えた。主著は『論理学研究』（1900-1901：立松弘孝他訳、みすず書房）、『純粋現象学および現象学的哲学のための諸考案（イデーン）』（1913：『イデーン』渡邊二郎・立松弘孝他訳、みすず書房）、『デカルト的省察』（1931：浜渦辰二訳、岩波文庫）など。

プラトン（Platon, BC427-BC347）

古代ギリシアの哲学者。師ソクラテスの刑死後、各地を遍歴。前

007年に学校アカデメイアを創設し、アリストテレスほかの弟子を養成した。ものごとのあるべき姿であるイデアを求める理想主義の立場をとり、「善のイデア」を追求する哲学者のみが、国家を正しく治めることができるとする哲人政治を唱えた。残された著作の多くは、ソクラテスを登場人物とする「対話編」という形をとる。主著は『ソクラテスの弁明』、『国家』、『テアイテトス』（いずれも岩波文庫他）など、岩波書店から『プラトン全集』が出ている。洞窟の比喩は『国家』にある。

ヘラクレイトス（Herakleitos, BC500 頃）

古代ギリシアの哲学者。火を万物の根源だとした。また、万物はとどまることなく変化し、流転する世界はそれ自身のうちに分裂、抗争を含み、理法（ロゴス）の支配が働いて運動変化する（万物は流転する）と説いた。著作『自然について』は失われたが、ディオゲネス・ラエルティオス『ギリシア哲学者列伝（下)』（岩波文庫）に伝記がある。

ジェレミー・ベンサム（Jeremy Bentham, 1748-1832）

イギリスの哲学者。功利主義の創始者。「最大多数の最大幸福」が法と道徳の基本原理だとした。主著は『政府論断章』（1776）、『道徳と立法の原理序説』（1789：『世界の名著 38』山下重一訳、中央公論社）など。パノプティコンの考案者。

ヴァルター・ベンヤミン（Walter Benjamin、1892-1940）

ドイツの哲学者・批評家。ドイツ・フランスで主に芸術・文学の分野で批評活動を展開。主著に『ドイツ悲劇の根源』（1928）、『複製技術時代の芸術』（1936）など。著作の多くが『ベンヤミン・コレクション』（ちくま学芸文庫、全七巻）に収録されている。

シモーヌ・ド・ボーヴォワール（Simone de Beauvoir, 1908-1986）

フランスの作家、哲学者。サルトルのパートナー。「人は女に生

れるのではない。女になるのだ」で知られる主著
『第二の性』（1949：『決定版 第二の性』「第二の性」
を原文で読み直す会訳、河出文庫）は、実存主義
の立場からの画期的女性論で、50〜60年代に多く
の若い女性たちに自立への影響を与えた。その他、
著作、邦訳多数。自伝的小説『女ざかり』（1960：
朝吹登水子・二宮フサ訳、紀伊国屋書店）で若きサルトルがはじめ
て現象学にふれた場面を描いている。

──【マ行】

エルンスト・マッハ（Ernst Mach, 1838-1916）

オーストリアの物理学者・哲学者。物理学者としては音速の単位
「マッハ」に名を残した。哲学上の主著は『感覚の分析』（1886：廣
松渉訳、法政大学出版局）、『認識と誤謬』（1905）。

モーリス・メルロ＝ポンティ（Maurice Merleau-Ponty、1908-1961）

フランスの哲学者。1945年、現象学的方法で知覚や身体のあり方
を分析した『知覚の現象学』（みすず書房）を発表。戦後はサルトル
とともに雑誌「レ・タン・モデルヌ」を創刊。著作の多くが邦訳さ
れている。

諸星大二郎（もろほし だいじろう、1949-）

日本の漫画家。代表作は『暗黒神話』（集英社、1976）、『西遊妖猿
伝』（講談社、1984-）など。

──【ヤ行】

大和和紀（やまと わき、1948-）

日本の漫画家。代表作に『はいからさんが通る』（講談社、1975-
1977）、『あさきゆめみし』（同前、1979-1993）他。

吉田兼好（よしだ けんこう、1283？-1353？）

日本の歌人、随筆家。本名は卜部兼好。30歳ごろ出家し、兼好と

称した。吉田兼好は後世の俗称。50歳ごろ執筆した随筆『徒然草』で有名。

吉田戦車（よしだ せんしゃ、1963-）

　　日本の漫画家。代表作に『伝染るんです。』（小学館、1990-1994）、『ぷりぷり県』（小学館、1995-1998）他。

──【ラ行】

ギルバート・ライル（Gilbert Ryle, 1900-1976）

　　イギリスの哲学者。主著『心の概念』（1949；坂本百大他訳、みすず書房）は現代の英米の哲学に影響を与えた。

バートランド・ラッセル（Bertrand Russell, 1872-1970）

　　イギリスの哲学者、数学者。生涯にわたり活発に反戦運動を行なったことでも知られる。『数学原理』（ホワイトヘッドとの共著、1910-1913）、『哲学入門』（1912；生松敬三訳、角川文庫）、『心の分析』（1921；竹尾治一郎訳、勁草書房）など。みすず書房から『バートランド・ラッセル著作集』も出ている。

ピエール・シモン・ラプラス（Pierre Simon Laplace, 1749-1827）

　　フランスの数学者・天文学者。カント‐ラプラスの星雲説で有名。主著に『天体力学』（1799-1825；竹下貞雄訳『ラプラスの天体力学論』1〜5巻、大学教育出版）、『確率の解析的理論』（1812）など。

ジュリアン・オフロワ・ド・ラ・メトリー

（Julien Offroy de La Mettrie, 1709-1751）

フランスの医師、哲学者。代表作『人間機械論』（1748；杉捷夫訳、岩波文庫、1957）で、人間の霊魂の存在を否定し機械論的な生命観を提唱した。

ベンジャミン・リベット （Benjamin Libet, 1916-2007）

アメリカの生理学者、医師。主著に『マインド・タイム――脳と意識の時間』（2004；下條信輔訳、岩波書店）

レオナルド・ダ・ヴィンチ （Leonardo da Vinci, 1452-1519）

イタリアの画家、彫刻家、建築家、科学者。イタリア中部トスカーナのヴィンチ村に生れる。ルネサンス期に芸術や科学・兵器開発などで才能を発揮した。絵画の代表作に「モナ・リザ」（1503-1506、ルーブル美術館〔パリ〕）、「最後の晩餐」（1495-1498、サンタ・マリア・デッレ・グラツィエ教会〔ミラノ〕）など。

ジョン・ロック （John Locke, 1632-1704）

イギリスの哲学者、政治思想家。イギリス経験論の創始者。『統治二論』で民主主義の基本的な理念を確立、議会制民主主義（間接民主主義）を唱えた。主著は『人間知性論』（1689；大槻春彦訳、岩波文庫、1972）、『統治二論』（1689；加藤節訳『完訳 統治二論』、岩波文庫、2010）など。

──【ワ】

ジョセフ・ワイゼンバウム （Joseph Weizenbaum, 1923-2008）

ドイツ生まれ、アメリカで活躍した人工知能学者。反戦運動にも参加し、科学の軍事利用に懸念を示していた。

参考文献
（発行年順）

プラトン、藤沢令夫訳、『国家 上・下』岩波文庫、1979（原著前 388 ～ 368 頃）

ルネ・デカルト、小泉義之訳、『方法叙説』講談社学術文庫、2022 年（原著 1637 年）

ジョン・ロック、大槻春彦訳『人間知性論』岩波文庫、1972 年（原著 1689 年）

ジョージ・バークリー、下條信輔他訳『視覚新論』勁草書房、1990 年（原著 1709 年）

ジュリアン・オフロワ・ド・ラ・メトリー、杉捷夫訳『人間機械論』岩波文庫、1957 年（原著 1748 年）

セーレン・キルケゴール、斎藤信治訳『不安の概念』岩波文庫 1844 年（原著 1844 年）

ジョージ・バーナード・ショー、小田島恒志訳『ピグマリオン』光文社古典新訳文庫、2015 年（原著 1913 年）

バートランド・ラッセル、竹尾治一郎訳『心の分析』勁草書房、1993 年（原著 1921 年）

マルティン・ハイデガー、熊野純彦訳『存在と時間』岩波文庫、2013 年（原著 1927 年）

ジャン＝ポール・サルトル、松浪信三郎訳『存在と無（Ⅰ～Ⅲ）』ちくま学芸文庫、2007 年（原著 1943 年）

モーリス・メルロ＝ポンティ、中島盛夫訳『知覚の現象学』法政大学出版局、2015 年（原著 1945 年）

ジャン＝ポール・サルトル、伊吹武彦訳『実存主義とは何か』人文書院、1996 年（原著 1946 年）

シモーヌ・ド・ボーヴォワール、「『第二の性』を原文で読み直す会」訳『第二の性』河出文庫、2023 年（原著 1949 年）

ジャン＝ポール・サルトル、白井浩司・平井啓之訳『聖ジュネ（Ⅰ～Ⅱ）』人文書院、1966 年（原著 1952 年）

手塚治虫「人工太陽球」『鉄腕アトム４』講談社漫画文庫、2002 年（初出は

1959 年)

手塚治虫「ふたりの黒い医者」『ブラック・ジャック (3)』講談社手塚治虫
　　漫画全集、2010 年（初出は 1975 年）

藤子・F・不二雄「気楽に殺ろうよ」『藤子・F・不二雄 SF 短編 PERFECT
　　（1）』小学館、2000 年（初出は 1972 年）

藤子・F・不二雄「換身」『藤子・F・不二雄 SF 短編 PERFECT（1)』小学館、
　　2000 年（初出は 1972 年）

諸星大二郎「夢見る機械」『諸星大二郎自選短編集　汝、神になれ鬼になれ』
　　集英社文庫、2004 年（初出は 1974 年）

ミシェル・フーコー田村俶訳『監獄の誕生』新潮社、1977 年（原著 1975 年）

大和和紀『あい色神話』講談社、1980 年

D.R. ホフスタッター／ D.C. デネット編著、坂本百大他訳『マインズ・アイ
　　──コンピュータ時代の「心」と「私」』TBS ブリタニカ、1984 年
　　（原著 1981 年）

大森荘蔵『流れとよどみ──哲学断章』産業図書、1981 年

楳図かずお『わたしは真悟』小学館文庫、2000 年（初出は 1982 〜 1986 年）

浅田彰『構造と力』勁草書房、1983 年

小坂修平・ひさうちみちお『イラスト西洋哲学史（上）（下）』宝島社、2008
　　年（初出は 1984 年）

デレク・パーフィット、森村進訳『理由と人格──非人格性の倫理へ』勁草
　　書房、1998 年（原著 1984 年）

トマス・ネーゲル、岡本裕一郎・若松良樹訳『哲学ってどんなこと』昭和
　　堂、1993 年（原著 1987 年）

廣松渉『新哲学入門』岩波新書、1988 年

岡崎京子『pink』マガジンハウス、1989 年

内田春菊『幻想の普通少女』双葉社、1989 年

吉田戦車『伝染るんです。』小学館、1990 〜 1994 年

士郎正宗『攻殻機動隊』講談社、1991 年

きたやまようこ『イスとイヌの見分け方──犬がおしえてくれた本』理論
　　社、1994 年

野矢茂樹『哲学の謎』講談社現代新書、1996 年

鷲田清一『じぶん・この不思議な存在』講談社現代新書、1996 年

デイヴィッド・チャーマーズ、林一訳『意識する心――脳と精神の根本理論を求めて』白揚社、2001 年（原書 1996 年）

アンソニー・ウェストン『ここからはじまる倫理』野矢茂樹他訳、春秋社、2004 年（原著 1997 年）

黒崎政男『となりのアンドロイド――哲学者クロサキの憂鬱』日本放送出版協会、1998 年

石川准・長瀬修『障害学への招待』明石書店、1999 年

永井均『マンガは哲学する』岩波現代文庫、2009 年（初版 2000 年）

立岩真也『弱くある自由へ――自己決定・介護・生死の技術』青土社、2000 年

奥浩哉『GANTZ』集英社、2000 ～ 2013 年

佐藤マコト『サトラレ』講談社、2001 ～ 2006 年

荒川弘『鋼の錬金術師』スクウェア・エニックス、2001 ～ 2010 年

菅原そうた『みんなのトニオちゃん』文芸社、2002 年

谷徹『これが現象学だ』講談社現代新書、2002 年

おおひなたごう『さらば俺に血まなこ』イースト・プレス、2002 年

谷川流『涼宮ハルヒの憂鬱』角川スニーカー文庫、2003 年

山本貴光＋吉川浩満『心脳問題――「脳の世紀」を生き抜く』朝日出版社、2004 年

ジョン・サール、山本貴光、吉川浩満訳『MiND―心の哲学』ちくま学芸文庫、2018 年（原著 2004 年）

赤瀬川原平『自分の謎』毎日新聞社、2005 年

金杉武司『心の哲学入門』勁草書房、2007 年

村田純一他『岩波講座哲学 5 心／脳の哲学』岩波書店、2008 年

野崎泰伸『生を肯定する倫理へ――障害学の視点から』白澤社、2011 年

児玉真美『死の自己決定権のゆくえ：尊厳死・「無益な治療」論・臓器移植』大月書店、2013 年

ダ・ヴィンチ・恐山「下校時刻の哲学的ゾンビ」https://omocoro.jp/kiji/64616/、2015 年

東野圭吾『ラプラスの魔女』角川書店、2015 年

野矢茂樹『心という難問――空間・身体・意味』講談社、2016 年

東元俊哉『テセウスの船』講談社、2017-19 年

怪物と眩暈

―サルトルの怪物的ヒューマニズム―

1 『嘔吐』における「実存」と「怪物」

　サルトルの『嘔吐』（1938）の主人公ロカンタンは、公園のベンチのそばのマロニエの木の根の前で、激しい「吐き気 nausée」を体験をする。この有名なシーンに登場する「実存 existence」という語に対して、「怪物のような monstrueuse」という形容詞が用いられていることにわれわれは注目したい。

　そして突然、それはそこにあった。それは白日の下にさらされた。実存 existence [1] が、突然ヴェールを脱いだ。それは抽象的なカテゴリーという無害な外観をかなぐりすてた。それは事物の生地そのものであり、この根は実存で捏ね上げられていた。いやむしろ、根、公園のフェンス、ベンチ、芝地の上のまばらな芝草、それらすべてが消え去った。事物の多様性、事物の個別性は、みかけ apparence であり、うわぐすりでしかなかった。このうわぐすりが溶けてしまい、怪物のような monstrueuse、やわらかい、無秩序な塊だけが残った——それは、ぞっとする、そして卑猥な裸体のように、むき出しだった。（OR151）

　表面的な「見かけ」の下からあらわれる「実存」は、「根」でも「ベンチ」でも「芝生」でもない。それは、何ものでもない。のっぺらぼうの裸の「怪物」である。そして、ロカンタンはこの「怪物」としての「実存」を、自らの内側にも見出す。あるとき

ロカンタンは、鏡を見つめながら、次第に自分の「顔」が「人間的な表情」を失っていき、自らの内に怪物的な実存があらわれるのを感じる。

　　私の視線はゆっくりと、憂鬱に、額へ、頰へ、降りていく。しっかりしたものは何もなく、視線は砂に埋まっていく。確かにそこには鼻があり、眼があり、口がある。しかしそれらすべては意味を持たず、人間的表情さえ持たない。（……）私が小さかったとき、ビジョワおばさんは私にこう言ったものだ「あんまり長い間鏡を見ていると、猿になるよ」。私は、もっとずっと長く自分を見ていたはずだ。私が見たものは、猿以下のもの、植物界すれすれの、ポリープのレベルのものだった。（OR23）

　このように、ロカンタンの「吐き気」とは、「怪物的なもの」としての「事物」のむき出しの「実存」があらわになる体験であり、またそれは、「事物」としての身体の実存を、自らの内側に感じ取る体験でもある。
　ところで、この少し前の箇所で、ロカンタンは、自分の髪の色が「赤毛でよかった」と考えている。そして、もし自分の髪が「栗色ともブロンドともつかない」色だったとしたら、「私の顔はあいまいさにまぎれてしまい、私はめまい vertige をおこしただろう」（OR22-3）と考える。われわれはここで、サルトルが用いている「めまい」という言葉に注目したい。あいまいな色（「微妙な色」という表現の方がぴったりするかもしれない）の髪の毛

131

はなぜ「めまい」をひき起こすのだろうか。その髪の色は「何色でもない」。つまりそれは、「栗色である」と「ブロンドである」というどちらの規定をも逃れ、いわば永遠に二つの色の間を往復する運動をはじめるのである。別のシーンでは、ロカンタンは、カフェの店員の「モーヴ色の」サスペンダーのあいまいな色に吐き気を感じる。

　　サスペンダーは青いシャツの上でほとんど見えず、青の上で消えてしまい、埋もれてしまっていたが、その控えめさはいつわりだった。実際、そのサスペンダーは自らを忘れさせはしなかったし、その羊のような強情さで私をいらいらさせた。まるで、紫になろうと出発しながら、その意図を捨てたわけでもないのに、途中でたちどまっているようだ。こういってやりたかった。「行けよ、紫になれよ、そしたらおまえについて話すこともないだろう」。だがだめだった。サスペンダーは宙吊りの状態 en suspens で、頑固に終わらない努力をつづけていた。

サスペンダーの色は、紫と青の上でバランスをとっており、「宙吊り」になっている。しかしこの「宙吊り」としての静止状態は、紫から青へ、また青から紫へと激しく移り変わる無限の反復運動を予想させる。だからこそ、ロカンタンはこの無限の反復運動の可能性に「めまい」を起こすのである。「吐き気」は、この「めまい」と結びつけて理解するべきだろう。つまりそれは、「実存」が引き起こす静的な情動であるというよりは、無限の反復運動が引き起こす意識の混乱である。そして、「実存」は、わ

れわれをこの無限の運動に引きずり込むものであるからこそ「怪物」なのである。

2 『実存主義はヒューマニズムである』における 「実存」と「人間」

しかしその後のサルトルは、ハイデガーを読み込むことで「実存」という言葉を『嘔吐』の時期と違った意味で用いるようになった、と言われる。そして「事物」と区別される「意識としての人間」のあり方に対して「実存」という言葉を使うようになった、とされる。たとえば、1945年に行なわれた有名な講演において、サルトルは「実存主義はヒューマニズムである」と宣言した。「人間」とはすなわち「ハイデガーが言う人間現実 réalité-humaine [2]」だとした上で、彼はこのように言っている。

> 人間は、苔や腐敗物やカリフラワーと違って、まず主体的に自らを生きる企てである。(EH30)

こうした記述をみると、ここでサルトルは「実存」を、「人間」あるいは「主体的な企て」としてとらえており、またそれは、『嘔吐』における「人間以下のもの」としての怪物的な「実存」とは、まったく異なったもののように見える。しかし、本当にそうなのだろうか。

たとえばサルトルは、この講演のなかで、人間が「実存が本質に先立つ」ような存在である、という有名なテーゼについてこう言っている。

実存が本質に先立つとはいかなる意味だろうか？　それは、人間はまず実存し、ついで世界の中で出会われ、出現し、後から定義される、ということである。実存主義が考えるような人間は、もしそれが定義不能なものであるならば、まずは何ものでもないのである。(EH29)

　われわれは、サルトルがここで「実存」を、「定義不能で」「何ものでもない」としていることを字義通りとるべきだと考える。サルトルが言う「実存」は「人間」でもないし、「主体」でもない。それは、「人間」に先立ち、また「主体」に先立つ「怪物」である。つまり、戦後サルトルの「実存主義」は、通説に反して、「人間主義」や「主体主義」とは異なった側面を持っているのである。

3 『自我の超越性』における「自由」と「めまい」

　そして、サルトルは、「意識としての人間」の実存が、「主体」に先立つものであり、その意味で「怪物」である、という視点を、『嘔吐』と同時期に書かれた哲学論文『自我の超越性』(1936年出版) のなかですでに示している。サルトルによると、われわれは「自分自身の自発性が自由の彼方 au-delà de la liberté にあるように感じる (TE80)」ときに、自らの内側に「怪物的な自発性 spontanéité monstrueuse (ibid.)」を感じ、それに対しておびえるのだという。サルトルは、精神病理学者ピエール・ジャネ (Pierre Janet) のあげている次のような症例を紹介している。

　ある若い既婚女性が、夫が彼女を一人にしておくときには、窓辺に行って、娼婦のように通行人を誘うのではないか、という恐れを持っていた。彼女の教育、過去、性格の中には、そうした恐れを説明するものは何もなかった。これは単にこういうことだったのではないかとわれわれには思える。つまり、あるなんでもない状況（読書や会話など）が、彼女に可能性のめまい vertige de la possibilité とでも呼べるものを引き起こしたのである。彼女はとほうもなく自由な〔怪物のように自由な〕monstrueusement libre 自分を発見したのであり、この、めまいをおこさせるような自由 liberté vertigineuse が、彼女がしてしまうことを恐れていたこのしぐさをきっかけに、彼女に対してあらわれたのである。（TE80-81）

「自分である」ということは、つねに「別の自分になってしまう」可能性に開かれている。「娼婦ではない私」とは、娼婦のように窓辺に歩いていくことが**できる**がそれを**しない**、ということによって成り立っているものでしかない。彼女は、歩いていくことも**できる**ということに気づく。すなわち、歩行を妨げているのが、まさに妨げようとしている歩行を可能にする力でもある、ということに気づき、そのことにめまいをおぼえる。「他ならぬこの私」であるためには「他」が前提される。怪物的な自由は「「私」を無限にはみ出す（TE81）。

　つまり、めまいとともに彼女がかいまみた「怪物」とは、「私」に先立つ「非-私」であり、「私」に先立つ「他」だった。むし

ろそれは「私」に「非 - 私」がつねに先回りをする、という無限の運動である。その怪物的な運動に、彼女はめまいをおぼえたのである。

ところでサルトルは、『自我の超越性』で、「自我の本質的な機能は、理論的なものであるよりもむしろ実践的なもの」だと言い、それは「意識に意識自身の自発性を隠蔽するところにある」と言う（ibid.）。つまり、「自我」とは、自己の内なる「怪物」を直視する「めまい」に対する反動の中で生まれ、めまいから眼をそらし、それを覆い隠すために後から〈作られる〉ものなのである。言い換えれば、「私」とは、内なる「怪物」を覆い隠すマスクでしかないのである。

4 『想像界』における「自由」と「めまい」

こうした、「私」を無限にはみだす「怪物的」自由に対する「めまい」について、サルトルは同時期に発表した『想像界』（1940）においても論じている。窓辺の女性の症例は言及されないが、サルトルは強迫観念についてのジャネの議論を参照しながら「強迫観念は、一種のめまい vetige、自発性の痙攣 spasme de la spontanéité によって望まれ、再生される（IM241）」と言っている。

サルトルは、強迫観念は「意識に反して意識を占領するようになる外的物体」ではなく、自発性と自律の性格を持っている「一つの意識」（IM296）だ、と言う。その上でサルトルは、それが、意識のもつ構造から生まれてしまう、一種の意識の暴走・ショートのようなものとしてとらえる。

　意識はある意味で自分自身の犠牲となり、一種の悪循環に陥る。そして、強迫的な思考を捨てようとする意識のあらゆる努力は、まさしく、それらの思考を再生するための最も効果的な手段になってしまう。(IM297)

　このサルトルの説明は、1987年に心理学者ウェグナー〔Daniel M. Wegner〕が行なった有名な「シロクマ実験」を思い起こさせる。ウェグナーは、被験者に「これから何を考えてもよいが、シロクマのことだけは考えてはいけない」と教示する。このような指示を受けた被験者は、逆に、絶対にシロクマのことを考えてしまう、というのだ [3]。その思考を捨てようとする努力自体が、その思考を生み出してしまう。そしてサルトルは、強迫観念についてこう言う。

　ここには、自我の痙攣 spasmes du moi、解き放たれた自発性 spontanéité qui se libère がある。それは、自我の自我自身に対する抵抗 résistance du moi à lui-même として作られるのである。(IM298)

　真偽が無限に反転する、あの「この文は偽である」という文を読むときに感じるような「めまい」。強迫観念にとらわれた意識は、無限に反転する「悪循環」の中に意識自身の実存＝存在を感じる。
　ところで、実は『嘔吐』においても、サルトルは、「思考の実

存」を、まさしく強迫観念として描いている。「思考」そのものが、シロクマのように、絶対ふりほどくことのできないものなのである。「考えることをやめる」ということ自体が、一つの「思考」であるのだから。ロカンタンは「蛇のようにうねる」ものとしての「実存するという感覚 sentiment d'exister」を「苦しい反芻 rumination」と形容する。

　もし私が考えることをやめることができたとする。私は試み、成功する。私の頭は煙が充満しているようだ。するとあれがまたはじまる。「煙……私は考えない……私は考えたくない……私は、私は考えたくない、と考える。私は、私は考えたくない、と考えてはならない。なぜならそれもまた思考だから。」だから、決してそれをやめることができないのだろうか？　私の思考、それは私だ。それが、私が立ち止まることができないことの理由だ。私は、私が考えるがゆえに実存する……そして私は考えることをやめることができない。まさにこの瞬間にも――まったくぞっとする――私が実存するなら、それは私が実存することを嫌悪しているからだ。（OR119）

　さらにサルトルは、この強迫観念としての思考そのものの実存をやはり「めまい」と結び付けている。

　思考は私の背後で、めまい vertige のように生まれる。私はそれらが私の頭の後ろで生まれるのを感じる……。もし私が譲歩するなら、それらは前のほうに、私の目の間にやってくる――

―私はいつも譲歩し、思考はどんどん膨れ上がり、そして、巨
大なものが私をすっかり満たしてしまい、私の実存をまた入れ
替えるのだ。（ibid.）

『想像界』にもどれば、さきに見たように、強迫的思考は、無
限反転の運動の中で意識自身が生み出すものだ、とサルトルは考
える。しかし、強迫的思考に苦しむ患者は、そのことに気づきつ
つ、そのことを否認しようとし、強迫的思考が「外から」やって
くるものだと考えようとする。そこから、「誰かが私に考えを吹
き込んだ」などと信じるような「被影響症候群」が生まれる、と
サルトルは言う。

　患者は、それらの考えを生み出すのが、生き生きとした自発
性としての彼自身であると同時に、それらの考えを望んではな
い、と感じる。したがって、「誰かが私に考えさせる……」と
いう表現が生まれる。それゆえ、被影響症候群は、患者によ
る、反‐自発性 contre-spontanéité の存在の認知に他ならない。
（IM301）

つまり、めまいの中で発見した「怪物的自由」に対する反動
が、被影響症候群だ、と言うのである。患者は、「怪物」が自分
の内なる怪物であること、自分そのものであることを否定し、
「怪物」を外化する。そして、「怪物」が「誰か」つまり「他人」
から来たものとみなそうとするのだ。

5 『存在と無』における「自由」と「めまい」

　1943年に出版された『存在と無』においても、サルトルは、ジャネの名前こそ出してはいないが、同じような強迫観念と「めまい」についての議論を展開している。サルトルは、キルケゴールに言及しつつ「恐怖」と「不安」を区別し、「めまい」を「不安」と結び付けている。

　ここではサルトルは、「断崖に沿った、てすりのない狭い小道」の上にいる私、を例にあげている。「私」はまず「めまいを予告するもの」としての「恐怖」を感じる。「私は石ころの上で足を滑らせて深淵の中に落ち込むかもしれない。小道のもろい地面が足元で崩れるかもしれない」。このとき私がとらえている「足を滑らせる可能性」は、道端の石ころとまったく同じく「万有引力に従う世界の一物体」としての私に関する可能性である。それは、私の外からやってくる「外的な可能性 possibilité externe」である。「それらは私の可能性 mes possibilités ではない」。恐怖を感じた私は、道端の石ころに注意し、小道の端からできるだけ離れていようとする。「私は世界の脅威から私を遠ざけるためにいくつかの未来の行為を私の前にくりひろげる」。このとき生じる「注意して歩く私」という可能性は、私が作り出した可能性であり、私そのものと内的な関係によって結びついた「私の可能性」である。こうして一応恐怖は納まる。しかし、まさにこのとき、めくるめく「めまい vertige」が私を襲う。たしかにこのとき、私は石ころのような事物と同様の「人間の活動がかかわる余地のない超越的蓋然性 probabilités transcendantes」から多少遠ざかっ

たかもしれない。だからといって私の行為が「確実」であるわけではない。私は注意して歩くことができる。だが私は危険を回避する目的と矛盾した行為、すなわち「道の石ころに注意しないこと、走ること、ほかのことを考えること」をすることもできる。さらにいえば、私はまったく反対の行為を行なうこともできる。つまり、私は「断崖に身を投げようとすること」すらできる。むしろ、注意して歩く私の行為の可能性は、そうした矛盾した行為、反対の行為を条件としている。

> もし、私の生命を救うように強いるものがなにもないならば、私が深淵に身を投げることをさまたげるものもまたなにも・・・ない。決定的な行為は、私がいまだそれでないような、ある私 un moi からやってくるだろう。（EN67）

事物の持つ蓋然性が去った代わりに、「自由」がもつ偶然性 contingence が私を襲う。そして私はこの自分の自由に恐怖を覚える。それが不安である。恐怖が「世界の諸存在についての恐怖」であるのに対して、不安は「自己についての反省的把握 appréhension réflexive du soi である。」（EN64）

> 恐怖は、世界の諸存在についての恐怖だが、不安は、私を前にしての不安である。めまい vertige は、私が崖から落ちるかもしれないと恐れるからではなく、私が崖に身を投げるかもしれないと恐れるからこそ、不安なのである。（EN63）

この「断崖に身を投げることを恐れる私」の「めまい」が、『自我の超越性』で描かれた、「窓辺に行って娼婦のように通行人に声をかけることを恐れる女性」の「可能性のめまい」と同一のものであることは明らかである[4]。

　続く「自己欺瞞 mauvaise foi」の章においても、サルトルは、この「私」に「非‐私」が先回りする無限の運動についてのべている。サルトルは、カフェでお盆をもって客の間を行き来するボーイを例に説明している。ボーイはきびきびした動きをし、丁寧にお辞儀したり、独特の口調でお客に注文を聞いたりしている。まるで何かを演じているような動きに見える。実際、そのボーイは「ボーイであることを演じている」のだ（EN94）。人間は、たとえば「ボーイらしさ」を懸命に演じて、「ボーイであろうと」しなければならない。つまり、ボーイは「ボーイではない」からこそ、ボーイを演じ、「ボーイであろうと」する必要がある。これは、人間（対自存在）が、自己との間にへだたり、差異を持っている存在だ、ということである。つまり、対自存在は「主体ではない」のであり、「主体から分離されている」（EN95）。対自存在にとって、「である（存在する）」は、「でない」を含んでいる。そしてサルトルは、対自は「それであるものでなく、それでないものである」ような存在だ、というわけだが、言いかえればこれは、「私」と「非‐私」の無限の反転そのものが、人間のあり方だ、ということだ。つまり、人間は「私は私でない」というあり方をしている。サルトルによると、同一律は人間に当てはまる原理ではない（EN93）。つまり人間は、根源的には、「私は私である」という自己同一性（アイデンティティ）をもたない

存在なのだ。「私は私である」に「私は私を演じる」が先立っている。私は「私であるふりをする（私を演じる）」宿命にある、ということである。

　実存主義は、「何ものでもない」とういあり方こそが、人間の根源的あり方だと考える。演じられた仮面の下に、「本当の自分」なるものがあるのではない。われわれは、「何ものでもない」こと、言い換えればわれわれの内なる怪物に対する不安を隠すために、「私」という鎧をつけているのだ。

6　『聖ジュネ』における「自由」と「めまい」

　次にわれわれは、1952年に発表された、サルトルの戦後の主著のひとつ『聖ジュネ』に目を移そう。『聖ジュネ』においては、「怪物」という語が頻繁に登場する。たとえばサルトルは、ジュネ（Jean Genet）の少年時代における社会的排除を「怪物を作る商売」になぞらえて説明している。

　　今はすたれてしまったようだが、かつてボヘミヤで栄えたある商売がある。人々は子供たちをとらえてきて、彼らの唇を裂き、頭蓋を圧縮し、昼も夜も箱の中に閉じ込めて、成長することを妨げた。こうした加工や、同じような他の加工をほどこすことで、人々は子供たちを非常に面白い怪物 monstre、すばらしい報告の対象となるような怪物に作り上げた。ジュネを作り上げるために、人々はもっと巧妙なやり口を用いたが、結果は同じだった。人々は一人の子供をとらえ、社会の利益という理由で、その子を一匹の怪物に仕立て上げたのだ。もし、この

事件において本当に罪を負っているものを探そうとするなら
ば、われわれはまっとうな人々 honnêtes gens の方を振り向き、
彼らに、いったいいかなる奇妙な残忍さをもって、一人の子
供を彼らのスケープゴートにしたのかをたずねるべきだろう。
（SG33）

　青年時代から各地を放浪し窃盗などを繰り返し、刑務所を転々
とする生活をしていたジュネは、「悪人」だった。しかし、サル
トルは、彼は「悪人＝怪物」として「作られた」のであり、しか
もそれは「社会の利益」のためだった、というのである。ここで
の「怪物」は、これまで見てきた、意識がみずからの内側に発見
する「怪物的自由」とはまったく違ったもののように思える。し
かしそうではない。サルトルによると、ジュネを怪物として生み
出す「社会の利益」とは、われわれの社会が、われわれの内なる
「怪物的自由」を捨て去らねばならない、という意味での「利益」
なのである。
　『自我の超越性』で描かれた女性は「窓辺に行って娼婦のよう
に通行人に声をかけるのではないか」という恐怖を抱いていた。
また、この「窓辺に行って通行人に声をかける娼婦」とは、彼女
の内側からあらわれた「別の自分」としての「他」であった。し
かし、同時にそれは「まっとうな女性」としての彼女にとっての
「他」でもある。そして、「まっとうな人々」たちの、現実の「娼
婦」に対する恐怖・嫌悪の実体は、実は「怪物的な自由」に対す
る恐怖、すなわち、自分の中の「可能性としての娼婦」に対す
る恐怖・嫌悪なのである。「まっとうな人々」たちは、自分たち

の内側にある怪物的自由に対して不安をいだいている。現にない私、つまり「娼婦になる」という選択が可能であるからこそ、現にある私、つまり「娼婦ではない私」が可能になるのと同様に、たとえば、「法にそむく」可能性があるからこそ、「法」は可能になる。

　　人間は、無制限をもうけることなしには、制限をもうけることはできない。社会の禁令を尊重すると彼が主張するとしても、同時に、彼の自由は、その禁令を破ることを彼に提案する。というのも、法を自らに与えることと、法にそむく可能性を創造することは、まったく一つのことでしかないからだ。（SG35）

ここには、あの無限に反転する意識の怪物的な運動、「怪物的自由」の構造がある。サルトルは、「悪はまずは善人自身の自由、つまり絶えず再生するので絶えず打ちのめさねばならない敵（SG39）」だ、と言う。そして、この内なる自由に対する不安（めまい）を隠蔽するために、善人たちは、怪物的自由を「他者」に投影する。彼らは「自分の自由から否定的瞬間をはぎとり、その血まみれの包みを自分の外になげだす（SG34）」。ちょうど、サルトルが『想像界』においてとりあげた被影響症候群の患者が、自分の内なる自由が生み出す思考を前にして「誰かが私に考えさせる」と考えようとしたように、善人たちは、規則を侵犯し、構築物を破壊する力をもった「自分の自由」を、「誰か＝他者＝悪人」から、つまり外から来るものとみなそうとする。

こうして、怪物的自由が投影された他者、つまり自由な怪物たる「悪人」が作られるのである。「悪人」はあくまで「他者」であり、自分の中にはない。だからこそ安心してそれを否定することができるようになる。その意味で、「善人が悪人をつくりだす（SG39）」のだ。逆に言えば、善人は、そのことによってのみ「善人になること」ができる。「善人」もまた「悪人ではないもの」として作り出されるものでしかない。したがって、善人は、「善人である」ために悪人を必要とする。サルトルは「まっとうな人々はマニ教的である manichéiste（SG36）」と言う。善人たちは、二元論的システムのなかで、「悪人」を、つまり「怪物としての他者」を作り出すと同時に、「善人」を、つまり「怪物ではない私」を作り出す。

　　平和な時間のために、社会は賢明にも職業的悪人たちを創造したのだ、とあえて言わせてもらおう。売春宿の少女たちが、まっとうな婦人たちにとって必要なのと同じように、あの「悪人たち」もまた、善人たちにとって必要なものなのだ。（SG41）

ちなみに、悪人たちと同様に善人たちが必要とするものとして、植民地の人間がいる。ファノン（Frantz Fanon）によると「植民地世界はマニ教的善悪二元論の世界である (5)」。植民地は、白人の住む地域と「原住民」が住む地域がはっきり分かれた「二つにたちきられた世界」となるが、植民者は、被植民者の住む空間を物理的に制限するだけではなく、彼らを「悪の精髄」に仕立て上げる（ibid.）。つまり、サルトルがファノンの『地に呪われた

る者』への序論の中で言うように「ヨーロッパ人は、奴隷と怪物を拵えあげることによってしか、人間になる se faire homme ことができなかった」（SV187-8）のである。

7 『聖ジュネ』における「他者性」と「めまい」

さて、サルトルは『聖ジュネ』の少し後の箇所で、「私自身にとっての私」と「他人にとっての私」を区別し、前者は、決して対象 objet ではありえない、と言う（あるいはそれは「きわめて特殊な対象」でしかありえない）。それに対して、後者、すなわち「他人にとっての私」は、「まず対象」である。そしてサルトルは、私自身にとっての私、すなわち、対象ではない私（「きわめて特殊な性質の対象」である私）を、アンドレ・マルロー（André Malraux）に言及しながら、「怪物」と表現している。

> 私は、私自身にとっては、対象では決してない je ne suis point un objet pour moi-même ——あるいはすくなくとも最初はそうではない——のである。たとえ私が私自身にとっての一対象となったとしても、この対象はきわめて特殊な性質のものだろう。それはマルローが語ったあの「比類のない怪物」であり続けるだろう。ところが、他者にとっては、私はまず対象であるのだ pour autrui, je suis objet d'abord。（SG43）

実はこれと同じ内容を、サルトルはすでに『存在と無』の中で、やはりマルローに言及しながら述べている [6]。「比類のない怪物 monstre incomparable」という表現は、マルローの『人間の

条件』（1933）に見られる。『人間の条件』の主人公の共産党員、清・ジゾールは、上海での武装蜂起を準備するために、アジトの店で秘密のレコードをチェックする。このレコードは、語学教材に偽装されているが、二つのレコードを同時にかけると、秘密のメッセージが浮かび上がるようになっている。清は、自分が吹き込んだ偽の語学レコードの声に違和感を感じる。彼は、そのことを、父親である老ジゾールに話すが、それに対して老ジゾールは、録音された自分の声に違和感を感じるのは「他人の声は耳で聞く avec les oreilles が、自分の声はのどで聞く avec la gorge」からだ、と答える [7]。その後清はこの会話を思い出し、こう考える。「他人にとっての私」は「私がなしたこと ce que j'ai fait」である。しかし、「私にとっての私、のどにとっての私 pour moi, pour la gorge」は、「絶対的な肯定、狂人の肯定、何ものよりも大きい強度」である。そして彼はまた、この「私にとっての私」を「比類のない、他の何よりも好ましい怪物」と表現するのである [8]。

　ジュネの場合はどうだろうか。彼もまた、自分の中に「怪物」を発見する。しかし、この「怪物」は、「何ものでもないもの」「対象ではないもの」の象徴としての「比類のない怪物」とはまったく異なったものである。それは、他人によって投げつけられたレッテルとしての怪物であり、つまり「（他人にとっての）対象としての怪物」である。

　サルトルはジュネの少年時代にまでさかのぼる。生後まもなく母親に捨てられたジュネは、地方の農村で里子として育てられた。「まっとうな人々」の社会の中で、私生児で捨て子の彼は「にせの子供」であった。ところが十歳の時、彼は盗みをみつか

る。「おまえはどろぼうだ」。そして、大人たちが投げつけたこの言葉をサルトルは「めまいを起こす言葉 mot vertigineux」と呼ぶ。この言葉によって、「何ものでもなかった」彼は突然、対象 objet となってしまった、とサルトルは言う。善人たちにとって「悪人」とは「他者」であるが、ジュネは、自分自身である前に、まず「他者」であるものとしての存在を与えられたのである。ジュネにとっては「対象であること」（他人にとっての私）のほうが、「主体であること」（私にとっての私）に先立っていたのである。ジュネは「彼自身の最も奥深いところで、自己とは〈別の者〉であることを承知させられた子供（SG47）」である。

　　まず対象──他人に対しての対象──これが彼の最も奥深いところにある彼の存在のしかたなのだ。（SG48）

『自我の超越性』における女性は、「めまい」の中で自分の内側に怪物を発見した。そして、その怪物とは、自分の内側にある「私である」に先立つ「私ではない」であった。一方、ジュネもやはり「めまい」の中で自分の内側に怪物を発見した。彼が発見した怪物とは「私である」に先立つ「他者である」である。

　　恐ろしい呪詛と有罪宣告が彼を押しつぶす。彼は怪物 monstre である。彼はうなじにこの怪物の吐息を感じる。彼は振り向くが、誰もいない。みんなが巨大な害虫を見ることができるが、彼だけは見られない。他のみんなと違って、彼は自分自身の他 autre que lui-même なのである。犠牲者の子ども、公

共の子どもである彼を、他人たちは取り囲み、中に入り込み、集団で歩き回り、彼の魂の中ですっかりくつろいでいる。まるで、アルカモーヌの中に耳から入り込み、彼の心の底におりていき、尻の穴から出て行くあの判事、弁護士、死刑執行人のように。(SG58)

　存在の内奥で「他者」として、「対象」として〈作られる〉というこの状況、すなわち疎外＝他者化 aliénation の状況は、ボーヴォワールが描く「女」の状況と共通している。実際サルトルは『聖ジュネ』において、『第二の性』に言及しながらそのことを指摘している（SG48）。

8　サルトルの怪物的ヒューマニズム

　ところで、対象性、すなわち「見られた」ものである、ということは、外から見える表層、見かけであるということ、すなわち仮象性でもある。『嘔吐』において、主人公は、ものの「見かけ」がくずれた後に、吐き気の中で怪物的「実存」を発見した。一方、ジュネがめまいの中で自分の内側に発見したのは、他者から見える対象性であり、それはまさに「見かけ」である。「見られた私」は、また「演じられた私」であり、「仮面」である。

　　彼は、彼が自分にとってあるところの主体に対する、彼が他人たちにとってあるところの対象の優越性を肯定する。したがって、はっきりと意識することなく、彼は仮象 apparence（彼が他人たちにとってあるところのもの）が実在であり、実在

（彼が自分にとってあるところのもの）は仮象でしかない、と判断する。（SG47）

　しかし、「仮面」が「実在」に先立ち、「私を演じる」が「私である」に先立つのは、5節で見たように、「脱自」としての人間の宿命であった。そして、善人たちは、この宿命を否定し、隠蔽し、自分たちは「あるがまま」にありつづけ、私を演じる必要はないと思い込んでいる。つまり最初から「私は私である」というあり方で存在していると思い込もうとする。いいかえれば、善人たちは、いわば演技していないふりをしているのだ。

　そしてサルトルは、「善人」によって「怪物」として〈作られた〉ジュネの自己救済の歩みを描き出す。その第一歩はこうである。社会はジュネを「悪人」として〈作った〉。だからこそ彼は、そこから自己を解放するために「悪人」〈になる〉。「犯罪が作りあげたぼくに、ぼくはなることに決めた」（SG63）。ジュネが善人の世界に「受け入れられ」悪人ではなくなるならば、「悪人であるジュネ」は追放されたままである。「善」の社会から追放されたジュネは、「悪」を「悪として」引き受け、悪そのものを選択する生き方を追求していくことになる。そして、善人たちに「仮象（見かけ）」の世界へと追放されたジュネは、「仮象（みかけ）」であることそのものを追求するのである。

　ジュネは、浮浪児であるところの現にある自分を否定し王子であることを夢見る。彼は「王子のふり」をする浮浪児である。だがそれだけではなく彼はさらに「にせの王子」であることを夢見る。つまり「「王子であるふりをする浮浪児」のふり」をするの

である。それによって、「ほんものの浮浪児である」ことそのものが演技に変容する。「ほんものの行為」が、俳優の「しぐさ」に変容し、現実そのものが虚構に変容するのである。演技は二重化し、あらゆるものが仮象（みかけ）に変容する。ジュネは、仮象（みかけ）を選択することで、実在と仮象（みかけ）の境界をくずし、「存在」の世界に安住している善人たちに、「実在」や「本当の自分」など存在しないということ、そしてすべてが仮象（みかけ）であるということをつきつける。周知のようにサルトルは、ジュネの作品に描かれる「実在」と「仮象」の二重三重の反転を「回転装置 tourniquet」と呼んでいるが、ここにも、あの無限に反転する怪物的な運動が反響しているのは明らかである。

　ところで、「実存主義はヒューマニズムである」と宣言した戦後のサルトルの思想は、ヒューマニズム＝人間中心主義の哲学として従来さかんに批判されてきた。しかし、以上見てきたように、サルトルの「実存」についての思考は、人間と非人間に境界線を引き人間の優位性を主張するような「ヒューマニズム」であったことは一度もなかった。サルトルの「実存」は、「主体」でも「本当の自分」でもない。それは、「脱自」と「客体性」、つまり「他」をうちにはらんだ「怪物」である。その意味で、サルトルの「ヒューマニズム」とは、「怪物のヒューマニズム」である。

　　※本稿は、『青山総合文化政策学』通巻第 5 号（第 4 巻第 2 号、2012 年 9
　　　月）に掲載された同タイトルの論文に若干の修正を加えたものである。
　〈注〉

(1) この引用のような場面では、existence は「存在」と訳さないと不自然かもしれないが、本論では原語の同一性を示すために existence をすべて「実存」と訳した。

(2) ハイデガーの Dasein のアンリ・コルバン（Henry Corbin）による訳語で、サルトルもそれを採用した。

(3) Wegner, Daniel M., 1994, *White Bears and Other Unwanted Thoughts: Suppression, Obsession, and the Psychology of Mental Control*, Guilford Pr, p.1-5.

(4) サルトルは『ボードレール』（1947）においても、「自由」を前にした「めまい」について言及している。サルトルは、ボードレールが「いつも自分は自由だと感じていた（B47）」のであり、断崖の上の私と同様、その自由にめまいを感じていたのだ、と言う。

　「彼は自由である。つまり、彼は自らの内にも外にも、自分の自由に対するいかなる支えも見つけられない、ということである。彼は自由をのぞきこみ、その深淵を前にしてめまいを感じている。」（B48）

　　ただしサルトルは、ボードレールを、自由の深淵に近づきながら、肝心なところで恐れをいだいてきびすを返した人間として描いている。

(5) Fanon, Frantz, 2002(1.éd.1961), *Les damnés de la terre*, La Découverte, p.44.

(6) 対他存在を論じた『存在と無』第三部に以下の記述がある。

　　〈私にとっての対象としての私 le moi-objet-pour-moi〉は、私ではない私、すなわち、意識の性格をもたない私、である。それは退化した意識である。対象化は、根源的変様であり、たとえ私が私を対象として明晰判明に見ることができたとしても、私が見るだろうものは、私が、私自身において、また私自身にとって、それであるもの ce que je suis en moi-même et pour moi-même、すなわち、マルローが言うあの「比類のない、他の何よりも好ましい怪物 monstre incomparable et préférable à tout」についての、十全な表象ではないだろう。むしろそれは、私の、他者にとっての〈自己外存在〉の把握、すなわち、私の〈他 - 存在〉の客観的な把握であり、それは私の〈対私存在〉とは根本的に異なっており、なんらそれに関連しないものである。（EN319）

(7) Malraux, André, 1989 (1.éd. 1933), *La Condition humaine,* dans *Œuvres complètes I*, Gallimard, p.540.

(8) id., p.548. マルローのこの小説のクライマックスでは、上海で共産党

が弾圧され、多数の共産主義者が虐殺された 1927 年 4 月 12 日のクーデターが描かれる。清は国民党軍に捕らえられ、悲惨な形で命を落とす。小説冒頭近くのモノローグで清が語る「私にとっての私」とは、サルトルの言葉でいえば、まさに歴史的状況の中での「実存」のことである。

〈文献一覧〉

Fanon, Frantz, 2002 (1.éd.1961), *Les damnés de la terre*, La Découverte

Malraux, André, 1989 (1.éd.1933), *La Condition humaine*, dans *Œuvres complètes I*, Gallimard

Sartre, Jean-Paul, 1946, *L'existentialisme est un humanisme*, Nagel (=EH)

―― 1952, *Saint Genet : comédien et martyr*, Gallimard (=SG)

―― 1964, *Situations V*, Gallimard (=SV)

―― 1975 (1.éd.1947), *Baudelaire*, Gallimard (=B)

―― 1981 (1.éd.1938), *La nausée*, dans *Œuvres romanesques*, Gallimard (=OR)

―― 1985 (1.éd.1936), *La transcendance de l'ego*, Vrin (=TE)

―― 1986 (1.éd.1940), *L'imaginaire*, Gallimard (=IM)

―― 1996 (1.éd.1936), *L'Etre et le néant*, Gallimard (=EN)

Wegner, Daniel M., 1994, *White Bears and Other Unwanted Thoughts: Suppression, Obsession, and the Psychology of Mental Control*, Guilford Pr.

永野潤、1996「断崖に立つサルトル―自由と狂気についての素描―」『現象学年報』第 11 号、日本現象学会

索　引

入門編、応用編の人名及び事項索引
（但し、応用編本文中の「サルトル」を除く）

《著者紹介》

永野　潤（ながの じゅん）

　1965年生まれ。東京都立大学大学院人文科学研究科哲学専攻博士課程単位取得退学。東京都立大学等で非常勤講師。専攻は哲学。

著書に『図解雑学 サルトル』（ナツメ社）、『図説 あらすじでわかる！ サルトルの知恵』（青春出版社）、『哲学のモンダイ』（白澤社）。主な論文に「断崖に立つサルトル——自由と狂気についての素描」（日本現象学会『現象学年報』第11号）、「サルトルと女とアンドロイド——両義性のモラルへ／意識・身体・自己欺瞞」（金井淑子編『岩波講座　応用倫理　性／愛』岩波書店）、「サルトル——ストライキは無理くない！」（市野川容孝・渋谷望編『労働と思想』堀之内出版）、「サルトルの知識人論と日本社会——サルトルを乗り越えるということ」（澤田直編『サルトル読本』法政大学出版局）など。

改訂版 イラストで読むキーワード哲学入門

2023年3月20日　改訂版第一刷発行

著　者　永野　潤

発　行　有限会社 白澤社
　　　　〒112-0014　東京都文京区関口1-29-6　松崎ビル2F
　　　　電話 03-5155-2615／FAX 03-5155-2616／E-mail：hakutaku@nifty.com

発　売　株式会社 現代書館
　　　　〒102-0072　東京都千代田区飯田橋3-2-5
　　　　電話 03-3221-1321㈹／FAX 03-3262-5906

装　幀　装丁屋 KICHIBE
印　刷　モリモト印刷株式会社
用　紙　株式会社市瀬
製　本　鶴亀製本株式会社

白澤社 刊行図書のご案内

はくたくしゃ

発行・白澤社　発売・現代書館

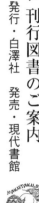

白澤社

白澤社の本は、全国の主要書店・オンライン書店でお求めいただけます。店頭に在庫がない場合は、書店にご注文いただければ取り寄せることができます。

ティマイオス／クリティアス

プラトン 著／岸見一郎 訳

定価2200円+税
四六判上製、224頁

宇宙創造を物語るプラトンの『ティマイオス』は、プラトンの著作中、もっとも広く長く読み継がれてきており、西洋思想に今もなお甚大な影響を与え続けている。その続編の『クリティアス』はアトランティス伝説で有名な未完の書。古代ギリシアの叡智が語る壮大な自然哲学、久々の新邦訳。

憲法のポリティカ
——哲学者と政治学者の対話

高橋哲哉・岡野八代 著

定価2200円+税
四六判上製、256頁

民主主義と平和主義の種を潰すような企てに危機感をもち発言し続けている哲学者と政治学者が、自民党改憲案をはじめ、死刑、天皇制、沖縄問題、マイノリティの権利、人道的介入の是非など憲法をめぐるさまざまな問題の核心に、護憲か改憲かの枠組みを越えて斬り込む。法律論とは異なるアプローチで語りあったロング対談。

【電子書籍版】
カントの政治哲学入門
——政治における理念とは何か

網谷壮介 著

電子書籍版
価格1800円+税ほか

自由権、正義と国家、共和主義、国際法と平和について、時代に先駆けたカントの発想をわかりやすく解説。政治における理念の重要さを語り続けたカントの政治哲学の全体像を、『人倫の形而上学・法論』を軸として描き出すとともに、歴史的文脈に照らしてカントの著作を読み解き、その現代的意義を説く。